어휘목록 5학년 2학기

KB064075

복습할 때 활용하세요.

☐ 각 장을 공부한 후 아직 알쏭달쏭한 어휘의 ☐ 안에 ✔표 하세요.
☐ 해당 쪽수로 돌아가서 어휘를 다시 한번 꼼꼼히 공부하여 확실하게 익혀 봅시다.

8장

초등국어 어휘력 향상을 위한

어휘왕

5-2

이룸이앤비
Education & Books

어휘력이 성장하는 빅뱅 시기, 초등 6년!

어느 언어학자의 연구 결과에 따르면,

학생들의 키는 보통 사춘기에 폭풍 성장하는데,

어휘력은 그보다 더 이른 초등 시기에 폭발적으로 늘어난다고 합니다.

보통 초등학교에 입학하기 전 아이들의 어휘력 수준은

약 5,000 단어를 아는 데 불과합니다.

그런데 **초등학교 6년의 과정을 거치면서 약 40,000 단어 이상을 습득하게 됩니다.**

초등 시기에 매년 6,000 단어 이상의 새로운 어휘를 습득하게 되는 셈입니다.

매우 놀라운 사실은 일반 사람들이 원만한 사회생활을 하는 데

필요한 어휘의 85%를 바로 초등 시기에 익히게 된다는 점입니다.

그래서 **초등학생 때를 "어휘의 빅뱅* 시기"**라고 부르기도 합니다.

(빅뱅이라는 말은 우주가 어느 날 폭발적으로 팽창하면서 커지게 되었다는 학설입니다.)

이러한 빅뱅 시기에 어휘 학습을 제대로 해 놓아야 그 효과를 톡톡히 볼 수 있겠지요?

혹여나 '어휘 학습은 그냥 국어 공부잖아, 다음에 봐서 학원에 보내면 되겠지.'

라고 생각하면 큰 오산입니다.

어휘의 빅뱅 시기를 너무 안일하게 생각하면 때는 늦습니다.

공부가 때가 있다는 말들을 하지요?

이는 뇌 구조상 쉽게 기억되고 받아들이는 때가 있다는 말입니다.

많은 양을 공부할 필요는 없습니다.

하루에 20~25개 정도의 어휘만 꾸준히 학습하면 됩니다.

'초등국어 어휘왕'은 바로 어휘의 빅뱅 시기를 맞이한 초등학생 여러분의 어휘력을

성장시켜 줄 좋은 친구가 될 것입니다.

초등국어 어휘왕의 특장점은?

1 **교과서에 나오는 주요 어휘를 학습할 수 있습니다.**

초등 교과서에만 약 3만 개가 넘는 어휘가 수록되어 있어요. 교과서는 학생에게 가장 유익하고 체계적인 학습 교재라는 점을 고려해 볼 때, 초등 교과서로 어휘 학습을 시작하는 것은 매우 합리적인 방법이라고 할 수 있습니다. '초등국어 어휘왕'은 초등학교 교과서에 수록된 어휘들을 단원별로 정리하여 문제로 제시하고 있어요.

2 **적절한 분량으로 학습 스케줄을 짤 수 있습니다.**

초등학생이 집중해서 학습할 수 있는 시간은 약 20~30분 정도예요. 너무 많은 양을 한꺼번에 학습하려다 보면 부담을 느낄 수 있어요. '초등국어 어휘왕'은 단원별 어휘들을 조금씩 꾸준히 학습할 수 있도록 학습 일차를 구분해 두었어요.

3 **다양한 유형의 문제로 재미있게 어휘를 익힐 수 있습니다.**

어휘를 단순히 암기하는 방식은 학습 효율 면에서 좋지 않습니다. '초등국어 어휘왕'은 문제를 통해 자연스럽게 어휘의 의미를 익힐 수 있도록 하였어요. 또한 반복되는 지루한 학습 패턴이 아닌, 여러 가지 다양한 유형을 통해 학습할 수 있도록 구성하고 있어요.

4 **부모님이 자녀를 지도할 수 있는 자료로 활용할 수 있습니다.**

풍부한 어휘력을 갖추려면, 꾸준한 학습과 노력이 뒤따라야 합니다. 학생이 꾸준하게 어휘를 공부할 수 있도록 하는 데에는 부모님의 역할이 매우 중요합니다. '초등국어 어휘왕'은 이러한 고민을 바탕으로, 다양한 놀이 형태의 문제들을 학생과 부모가 함께 해 나갈 수 있도록 만들었습니다. 부모님은 해설집을 통해 부분적으로 필요한 내용들을 지도 자료로 활용할 수 있습니다.

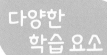
초등국어 어휘왕, 재밌고 다양한 문제로 공부해요.

1 새로운 어휘 학습

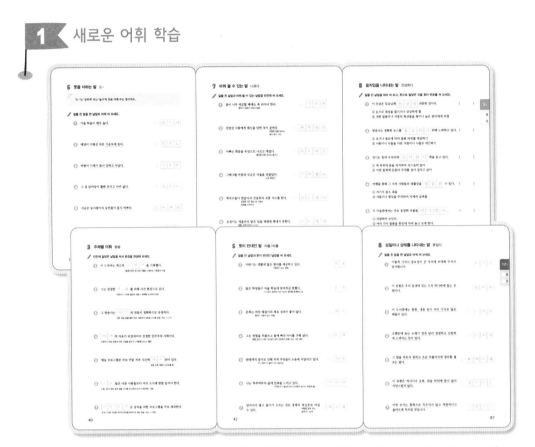

〈단원별 주요 어휘〉, 〈주제별 어휘〉, 〈합쳐진 말〉, 〈태도·동작을 나타내는 말〉, 〈꾸며 주는 말〉, 〈소리나 모양을 흉내 내는 말〉, 〈단위를 나타내는 말〉, 〈바꿔 쓸 수 있는 말〉, 〈뜻이 반대인 말〉 등의 새롭고 낯선 어휘들을 학습해 보세요.

2 기초 맞춤법

〈잘못 쓰기 쉬운 말〉, 〈헷갈리기 쉬운 말〉, 〈문장 부호〉 등의 맞춤법에 관련된 올바른 표현을 익혀 보세요.

3 띄어쓰기/원고지 쓰기

〈띄어쓰기〉를 포함하여
〈원고지 쓰기〉 등의 실제
글 쓰는 방식 등을 점검해
보세요.

4 올바른 발음

표준 발음법에 따른 〈올
바른 발음〉에 대해 학습
해 보세요.

5 문장 표현

〈높임 표현〉, 〈시간 표현〉,
〈부정 표현〉, 〈행동을 하
게 하는 말〉, 〈행동을 당하
는 말〉 등 기초적인 문법
지식을 배워 보세요.

6 타교과 어휘

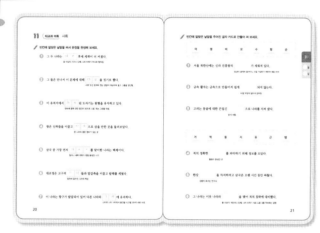

각 학기의 [사회], [과학], [도덕], [수학]의
교과서에 나오는 주요 어휘들을 공부해 보
세요.

7 어휘력을 높이는 확인 학습

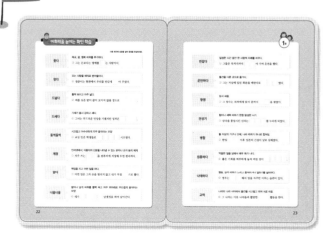

앞에서 공부한 어휘들을 다시 한번 확인해
보면서 확실한 어휘 학습이 되었는지 점검
해 보세요.

계획에 따라 차근차근 공부해요.

학생들의 학습을 도와주세요!

기본 학습

일차별로 꾸준하게 공부하게 합니다.

학습 스케줄에 따라 하루에
25~30개의 정도의 낱말을 꾸준하게
공부할 수 있도록
지도하는 것이 좋습니다.

20~30분 집중하여 학습하게 합니다.

시간을 정해 두고
한 번에 집중해서 학습하도록
하는 것이 바람직합니다.

점검 학습

단원별로 공부한 어휘를 점검하게 합니다.

3일차 학습이 끝나는 대로 10분 정도의
시간을 별도로 할애하여 '어휘력을 높이는
확인 학습' 코너를 활용하여 주요 어휘들을
숙지하였는지 확인해야 합니다.

모바일 앱을 통해 학습한 내용을 복습하게 합니다.

본 교재는 모바일에서 '초등국어 어휘왕' 앱을
제공합니다. 이를 다운 받아, 하루에 학습한
낱말을 복습할 수 있도록
지도할 수도 있습니다.

도움 학습

궁금해할 만한 내용은 해설을 보고 직접 설명해 줍니다.

'정답 및 해설'에 알아 두면
유익한 내용들을 이해하기 쉽도록
별도로 설명해 두었습니다.
이를 학생에게 설명하여 이해를
돕는 것이 중요합니다.

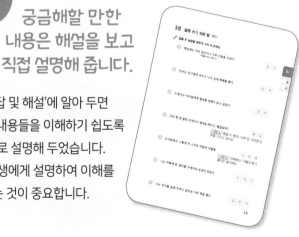

1장 마음을 나누며 대화해요

 국어 교과서 28~59쪽

1 공감하기

공감하며 대화하면 상대의 처지를 이해할 수 있고 서로 기분 좋게 대화를 할 수 있어요. 또, 공감하는 대화를 통해 상대와 사이가 더 좋아질 수 있어요.

✎ 다음 대화에서 선생님이 공감하며 대화하는 방법을 [보기]에서 찾아 써 보세요.

┌─── 보기 ───┐

경청하기   공감하며 말하기   처지를 바꾸어 생각하기

❶ 현민: 선생님, 제가 눈이 안 좋은데 자리가 너무 뒤쪽이라 칠판이 잘 보이지 않아요.
　선생님: (눈을 맞추고 고개를 끄덕이며) 그랬구나.

⇨ 1단계: _____

❷ 현민: 네. 칠판이 잘 보이지 않아 공부하기가 힘들었어요.
　선생님: 선생님도 현민이처럼 칠판이 잘 보이지 않았다면 답답했을 것 같구나.

⇨ 2단계: _____

❸ 현민: 선생님, 자리를 앞쪽으로 옮기면 칠판이 잘 보여서 열심히 공부할 수 있을 것 같아요.
　선생님: 그래. 자리를 바꿔 줄 친구가 있는지 물어보도록 하자. 선생님이 현민이의 상황을 미리 알아주지 못해 미안하구나.

⇨ 3단계: _____

2 주제별 어휘 누리 소통망

누리 소통망은 '소셜 네트워크 서비스[SNS]'를 다듬은 말이에요. 상대와 직접 만나서 대화하기 어려울 때 누리 소통망으로 대화를 할 수 있어요.

🖊 주어진 뜻에 알맞은 낱말을 [보기]에서 찾아 써 보세요.

보기
계정　　댓글　　매체　　게시물　　그림말　　대화방　　업로드

① 어떤 사실을 널리 전달하는 물체나 수단 ⇨ 　　

② 문자와 기호, 숫자 등을 조합하여 만든 그림 문자 ⇨ 　　

③ 인터넷에 오른 글에 대하여 짤막하게 답하여 올리는 글 ⇨ 　　

④ 인터넷을 이용해 다른 컴퓨터 시스템에 자료를 옮기는 것 ⇨ 　　

⑤ 인터넷에서 여러 사람에게 알리기 위해 내건 글이나 영상 자료 ⇨ 　　

⑥ 인터넷에서 여러 사용자가 모니터 화면을 통하여 대화를 나누는 곳 ⇨ 　　

⑦ 인터넷에서 이용자의 신분을 나타낼 수 있는 문자나 숫자 등의 체계 ⇨

3 자주 쓰는 말 봄눈 녹듯

✎ 그림의 상황과 어울리도록 빈칸에 알맞은 말을 [보기]에서 찾아 써 보세요.

보기

봄눈 녹듯　　　밑 빠진 독　　　발을 구르다　　　귀를 기울이다

①

친구의 이야기에 ＿＿＿＿＿＿＿＿＿＿＿＿＿＿．
남의 이야기나 의견에 관심을 가지고 주의를 모으다.

②

버스를 놓칠까 봐 ＿＿＿＿＿＿＿＿＿＿＿．
매우 안타까워하거나 다급해하다.

③

＿＿＿＿＿＿＿＿＿＿＿ 눈사람이 녹아 버렸다.
무엇이 빨리 슬어 없어지는 모양을 비유적으로 이르는 말

④

내 머리는 ＿＿＿＿＿＿＿＿＿＿＿ 인지 돌아서
힘을 아무리 들여도 들인 보람도 없는 상태를 이르는 말
면 잊어버린다.

4 흉내 내는 말 너울너울

✎ 빈칸에 알맞은 낱말을 [보기]에서 찾아 써 보세요.

보기

훨훨	너덜너덜	너울너울	들썩들썩
또박또박	조물조물	기우뚱기우뚱	

① 책이 _____ 해져서 읽기가 힘들었다.
여러 가닥이 자꾸 어지럽게 늘어져 흔들리는 모양

② 축제가 시작되자 온 마을이 _____ 정신이 없다.
시끄럽고 어수선하게 자꾸 움직이는 모양

③ 그 작은 배는 파도가 칠 때마다 _____ 흔들렸다.
물체가 이쪽저쪽으로 자꾸 기울어지며 흔들리는 모양

④ 동생은 _____ 찰흙을 주물러 자동차 모형을 만들었다.
작은 손놀림으로 자꾸 주물러 만지작거리는 모양

⑤ 갈매기가 _____ 날갯짓을 하며 하늘 높이 날아올랐다.
새 따위가 높이 떠서 느리게 날개를 치며 매우 시원스럽게 나는 모양

⑥ 나비가 꽃밭에서 두 날개를 활짝 펴고 _____ 춤을 춘다.
팔이나 날개 따위를 활짝 펴고 자꾸
위아래로 부드럽게 움직이는 모양

⑦ 그는 많은 사람들 앞에서 떨지 않고 자신의 생각을 _____ 말했다.
말이나 글씨 등이 분명하고 또렷한 모양

13

5 뜻을 더하는 말 드-

'드-'는 '심하게' 또는 '높이'의 뜻을 더해 주는 말이에요.

🖊 밑줄 친 말을 한 낱말로 바꿔 써 보세요.

1 가을 하늘이 <u>매우 높다</u>.

2 태양이 수평선 위로 <u>기운차게 솟다</u>.

3 바람이 <u>기세가 몹시 강하고 사납다</u>.

4 그 집 앞마당이 <u>활짝 트이고 아주 넓다</u>.

5 지금은 농사철이라 농민들이 <u>몹시 바쁘다</u>.

6 화를 내며 손에 잡히는 <u>물건을 마구 들어 내던지다</u>.

7 그가 마침내 이름을 <u>크게 드러나 널리 떨치게 하다</u>.

6 헷갈리기 쉬운 말 좇다/쫓다

🖊 주어진 뜻을 참고하여 문장에 어울리는 낱말을 찾아 ○표 하세요.

좇다	목표, 꿈, 행복 따위를 추구하다.
쫓다	앞선 대상을 잡으려고 뒤를 급히 따르다.

1️⃣ 나호는 누나를 (좇아 / 쫓아) 방에 들어갔다.

2️⃣ 나는 내 꿈을 (좇으며 / 쫓으며) 열심히 공부할 것이다.

3️⃣ 사냥꾼은 눈 위에 발자국을 따라 노루를 (좇았다 / 쫓았다).

4️⃣ 명예를 (좇으려 / 쫓으려) 하지 말고 진정으로 원하는 것을 해야 한다.

맡다	책임을 지고 어떤 일을 하다.
맞다	오는 사람을 예의로 받아들이다.

5️⃣ 우리 집에 오는 손님을 반갑게 (맞았다 / 맡았다).

6️⃣ 우리 모둠에서는 내가 발표를 (맞게 / 맡게) 되었다.

7️⃣ 선희는 아무리 작은 일이랄도 (맞은 / 맡은) 일에 최선을 다한다.

7 바꿔 쓸 수 있는 말 나르다

✏️ 밑줄 친 낱말과 바꿔 쓸 수 있는 낱말을 빈칸에 써 보세요.

1 몸이 너무 <u>피곤할</u> 때에는 푹 쉬어야 한다.
몸이나 마음이 지쳐서 힘들
➡️ | ㄱ | 다 | 하 |

2 믿었던 사람에게 배신을 당한 것이 <u>분하다</u>.
억울한 일을 당해서
매우 화가 나다.
➡️ | 워 | 토 | 하 | 다 |

3 아빠는 화분을 옥상으로 <u>나르고</u> 계셨다.
물건을 다른 곳으로 옮기고
➡️ | 우 | ㅂ | 하 | 고 |

4 그해 9월 마침내 국군은 서울을 <u>되찾았다</u>.
도로 찾았다.
➡️ | ㅅ | 보 | 했 | 다 |

5 학부모들이 <u>번갈아서</u> 건널목의 교통 지도를 한다.
일정한 시간 동안 한 사람씩
차례를 바꾸어서
➡️ | 교 | ㄷ | 해 | 서 |

6 은정이는 <u>게을러서</u> 맡은 일을 제때에 해내지 못한다.
행동, 성격 따위가 느리고
움직이거나 일하기를 싫어서
➡️ | ㄴ | ㅌ | 해 | 서 |

7 그는 러시아 대륙을 <u>가로지르는</u> 열차에 몸을 실었다.
어떤 곳을 가로 등의 방향으로
질러서 지나는
➡️ | ㅎ | 다 | 하 | 는 |

8 띄어쓰기 까지, 처럼

'까지, 처럼' 따위와 같이 다른 말에 붙어 그 말과 다른 말과의 문법적인 관계를 표시하거나 그 말의 뜻을 도와주는 말은 앞말과 붙여 써야 해요.

집에서 **학교까지** 10분이 걸린다.   그는 **소처럼** 일만 한다.

✏️ 다음 문장을 주어진 횟수에 따라 바르게 띄어 써 보세요.

1 한시까지도서관앞에서만나자. (4회)

한																	

2 떡이맛도좋은데예쁘기까지하다. (4회)

떡	이																

3 새처럼하늘을자유롭게날고싶다. (4회)

새	처	럼															

4 내가할수있는데까지해볼게. (6회)

내	가																	

5 네가이렇게까지웃을줄은몰랐어. (4회)

네	가																	

6 나도너처럼기타를잘치고싶어. (5회)

나	도																	

9 형태는 같은데 뜻이 다른 말 달다

✎ 밑줄 친 낱말의 알맞은 뜻을 찾아 기호를 써 보세요.

> ㉠ **달다**¹ 꿀이나 설탕의 맛과 같다.
> ㉡ **달다**² 글이나 말에 설명 따위를 덧붙이거나 보태다.
> ㉢ **달다**³ 타지 않는 단단한 물체가 열로 몹시 뜨거워지다.
> ㉣ **달다**⁴ 말하는 이가 듣는 이에게 어떤 것을 주도록 요구하다.

1 잘 익은 단감이 매우 달고 맛있다. ⇨ ☐

2 두껍아, 두껍아, 헌 집 줄게, 새 집 다오. ⇨ ☐

3 누나가 엄마에게 용돈을 더 달라고 졸랐다. ⇨ ☐

4 오빠는 단 음식보다는 매운 음식을 좋아한다. ⇨ ☐

5 그는 불 속에서 빨갛게 단 쇠를 꺼내 두드렸다. ⇨ ☐

6 친구가 쓴 글에 댓글을 달아 서로 소통을 했다. ⇨ ☐

7 한문을 읽을 때 토를 달아 놓으면 읽기가 훨씬 수월하다. ⇨ ☐

10 잘못 쓰기 쉬운 말 짚신

✏️ **밑줄 친 낱말을 알맞게 고쳐 써 보세요.**

① 옛날에는 주로 <u>집신</u>이나 가죽 신발을 신었다.
  벗짚을 꼬아서 만든 신

➡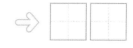

② 민서는 친구들과 싸우고 나서 <u>금새</u> 화해를 했다.

➡

③ 수정이는 아이들에게 <u>챙피</u>를 당해서 숨고 싶었다.

➡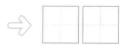

④ 지각 한 번 없던 은영이가 결석을 하다니, <u>웬일</u>일까?

➡

⑤ 도서관에서 그렇게 큰 소리로 떠들면 <u>어떻해</u>.

➡

⑥ 그는 까맣게 탄 냄비를 <u>수새미</u>로 문질러 닦았다.

➡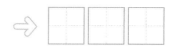

⑦ 나는 친구를 놀래 주려고 <u>일부로</u> 아픈 척을 했다.

➡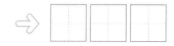

19

✏️ 빈칸에 알맞은 낱말을 써서 문장을 완성해 보세요.

1 그 두 나라는 | 벼 | ㅎ | 후에 세력이 더 커졌다.

둘 이상의 기구나 단체, 나라 따위가 하나로 합쳐짐.

2 그 둘은 만나서 이 문제에 대해 | 다 | ㅍ | 을 짓기로 했다.

서로 맞선 관계에 있는 쌍방이 의논하여 옳고 그름을 판단함.

3 이 유적지에서 | 추 | ㅌ | 된 도자기는 원형을 유지하고 있다.

땅속에 묻혀 있던 물건이 밖으로 나옴. 또는 그것을 파냄.

4 왕은 신하들을 이끌고 | ㄷ | ㅇ | 으로 삼을 만한 곳을 둘러보았다.

한 나라의 중앙 정부가 있는 곳

5 삼국 중 가장 먼저 | 저 | ㅅ | ㄱ | 를 맞이한 나라는 백제이다.

힘이나 세력 따위가 한창 왕성한 시기

6 대조영은 고구려 | ㅇ | ㅁ | 들과 말갈족을 이끌고 발해를 세웠다.

망하여 없어진 나라의 백성

7 이 나라는 항구가 발달되어 있어 다른 나라와 | ㄱ | 여 | 에 유리하다.

나라와 나라 사이에서 물건을 사고팔고하여 서로 바꿈.

✏️ 빈칸에 알맞은 낱말을 주어진 글자 카드로 만들어 써 보세요.

마	쟁	비	모	수	항	순

1 서울 북한산에는 신라 진흥왕의 [⬚]가 세워져 있다.
임금이 살피며 돌아다닌 곳을 기념하기 위하여 세운 비석

2 금속 활자는 금속으로 만들어져 쉽게 [⬚]되지 않는다.
마찰 부분이 닳아서 없어짐.

3 고려는 몽골에 대한 끈질긴 [⬚]으로 나라를 지켜 냈다.
맞서 싸움.

거	역	동	지	유	근	맹

4 적의 정확한 [⬚]를 파악하기 위해 정보를 모았다.
활동의 중심인 곳

5 한강 [⬚]을 차지하려고 삼국은 오랜 시간 동안 싸웠다.
강물이 흐르는 언저리

6 그 나라는 이웃 나라와 [⬚]을 맺어 적의 침략에 대비했다.
둘 이상의 개인이나 단체, 나라 따위가 서로 도울 것을 약속하는 결합

21

다음 빈칸에 낱말을 넣어 문장을 완성하세요.

좇다

목표, 꿈, 행복 따위를 추구하다.

예 그는 돈보다는 명예를 ☐는 사람이다.

맞다

오는 사람을 예의로 받아들이다.

예 경준이는 현관에서 우리를 반갑게 ☐아 주었다.

드넓다

활짝 트이고 아주 넓다.

예 벼를 심은 밭이 끝이 보이지 않을 정도로 ☐☐☐.

드세다

기세가 몹시 강하고 세다.

예 그녀는 부드러운 인상을 가졌지만 성격은 ☐☐☐.

들썩들썩

시끄럽고 어수선하게 자꾸 움직이는 모양

예 교실 안은 학생들로 ☐☐☐☐☐ 시끄럽다.

계정

인터넷에서, 이용자의 신분을 나타낼 수 있는 문자나 숫자 등의 체계

예 자주 쓰는 ☐☐을 컴퓨터에 저장해 두면 편리하다.

맡다

책임을 지고 어떤 일을 하다.

예 이번 일은 그의 손을 빌리지 않고 내가 직접 ☐기로 했다.

너울너울

팔이나 날개 따위를 활짝 펴고 자꾸 위아래로 부드럽게 움직이는 모양

예 새가 ☐☐☐☐ 날갯짓을 하며 날아간다.

번갈다	일정한 시간 동안 한 사람씩 차례를 바꾸다. 예 그들은 목적지까지 ☐☐아 가며 운전을 했다.
운반하다	물건을 다른 곳으로 옮기다. 예 그는 거실에 있던 화분을 베란다로 ☐☐☐였다.
항쟁	맞서 싸움. 예 그 장수는 외적에게 맞서 끝까지 ☐☐을 벌였다.
전성기	힘이나 세력 따위가 한창 왕성한 시기 예 삼국을 통일시킨 신라는 ☐☐☐를 누리게 되었다.
병합	둘 이상의 기구나 단체, 나라 따위가 하나로 합쳐짐. 예 한일 ☐☐ 이후 일본의 간섭이 날로 심해졌다.
원통하다	억울한 일을 당해서 매우 화가 나다. 예 좋은 기회를 허무하게 놓쳐 버린 것이 ☐☐☐☐.
나태하다	행동, 성격 따위가 느리고 움직이거나 일하기를 싫어하다. 예 정우는 ☐☐해서 일을 자꾸만 미루는 습관이 있다.
교역	나라와 나라 사이에서 물건을 사고팔고 하여 서로 바꿈. 예 그 나라는 이웃 나라들과 활발한 ☐☐ 활동을 한다.

1 지식과 경험

이미 알고 있는 것이나 경험한 것을 활용하여 책을 읽으면 글의 내용을 보다 잘 이해할 수 있어요.

빈칸에 주어진 뜻에 알맞은 낱말을 써서 글을 완성해 보세요.

글을 읽을 때 아는 내용이나 겪은 일과 관련지으면 글의 내용이나 글 속에 등장하는 인물의 마음을 더 깊이 있게 이해하는 ❶〇〇〇을 가질 수 있다. 또한 글은 읽은 후 얻게 되는 지식이나 지혜, 교훈 등을 자신의 삶에 의미 있게 ❷〇〇〇할 수 있다. 경험을 떠올리며 글을 읽음으로써 읽기에 ❸〇〇〇를 느끼게 되고 지식과 경험, 생각이나 판단 등을 글의 내용과 비교하면서 읽는 ❹〇〇〇 읽기 태도를 기를 수 있다.

자신에게 ❺〇〇이 전혀 없거나 부족하다면, 글을 읽기 전에 다양한 노력을 기울여야 한다. 예를 들면 안내 서적이나 백과사전, 해설서 등을 미리 찾아보거나, 인터넷을 통해 자료를 검색해 보는 것도 좋은 방법이다.

❶ 사물을 보고 분별하는 능력 ⇨ 안 목

❷ 둘 이상의 다른 현상 따위를 알맞게 조화하게 함. ⇨ 저 목

❸ 흥을 느끼는 재미 ⇨ 흥 미

❹ 다른 것에 이끌리지 아니하고 스스로 일으키거나 움직이는 ⇨ 능 도 적

❺ 어떤 일을 하거나 연구할 때, 이미 머릿속에 들어 있거나 기본적으로 필요한 지식 ⇨ 배 경 지 식

2 형태는 같은데 뜻이 다른 말 지르다

🖉 밑줄 친 낱말의 알맞은 뜻을 찾아 기호를 써 보세요.

> ㉠ **지르다**¹ 한가운데로 지나가다.
> ㉡ **지르다**² 목청을 높여 소리를 크게 내다.
> ㉢ **지르다**³ 양쪽 사이에 막대기나 줄 따위를 끼워 놓거나 꽂아 놓다.

❶ 아이들은 운동장을 <u>질러</u> 체육관으로 갔다. ⇨ ☐

❷ 대문에 빗장을 <u>지르자</u> 삐거덕 소리가 났다. ⇨ ☐

❸ 아이들은 놀이 기구를 타며 소리를 꽥꽥 <u>질렀다</u>. ⇨ ☐

❹ 그녀는 머리를 돌돌 말아 올리고 비녀를 <u>질렀다</u>. ⇨ ☐

❺ 함박눈이 펑펑 내리는 모습을 보며 탄성을 <u>질렀다</u>. ⇨ ☐

❻ 할아버지는 장난을 치는 아이들을 향해 고함을 <u>질렀다</u>. ⇨ ☐

❼ 이 길로 공원을 <u>질러</u> 지름길로 가면 훨씬 빨리 갈 수 있다. ⇨ ☐

25

3 한자어 1 빙(氷)

한자 '氷(빙)'은 '얼음'이라는 뜻을 나타내요. 공통된 한자가 들어가는 낱말을 묶어서 공부하면 낱말을 기억하기 쉬워요.

🖉 빈칸에 알맞은 낱말을 써 보세요.

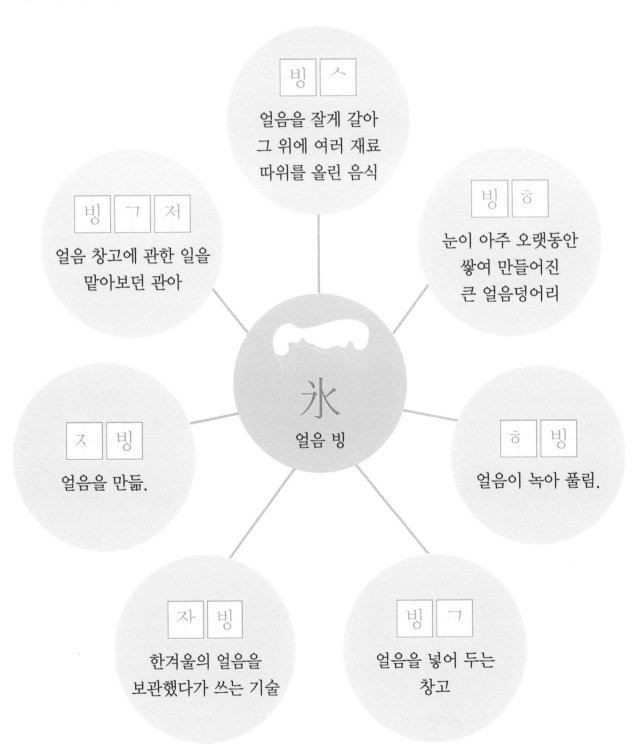

빙 ㅅ
얼음을 잘게 갈아
그 위에 여러 재료
따위를 올린 음식

빙 ㅎ
눈이 아주 오랫동안
쌓여 만들어진
큰 얼음덩어리

빙 ㄱ 저
얼음 창고에 관한 일을
맡아보던 관아

氷
얼음 빙

ㅎ 빙
얼음이 녹아 풀림.

ㅈ 빙
얼음을 만듦.

자 빙
한겨울의 얼음을
보관했다가 쓰는 기술

빙 ㄱ
얼음을 넣어 두는
창고

4 한자어 2 현재

🖊 빈칸에 알맞은 낱말을 쓰고, 이에 공통으로 쓰인 한자를 찾아 ○표 하세요.

1

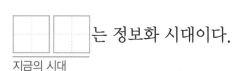

☐☐를 즐겨라.
지금의 시간

☐☐는 정보화 시대이다.
지금의 시대

① 絃   ② 玄   ③ 賢   ④ 現
줄 현   검을 현   어질 현   나타날 현

2

개구리를 유심히 ☐☐했다.
사물이나 현상을 주의하여 자세히 살펴봄.

제주도는 ☐☐의 명소이다.
어떤 곳을 찾아가서 경치, 상황, 풍속 등을 구경함.

① 館   ② 觀   ③ 官   ④ 關
집 관   볼 관   벼슬 관   관계할 관

3

거친 날씨로 여객선의 운항이 ☐☐되었다.
어떤 일을 중간에 멈추거나 그만둠.

우리 집은 ☐☐이 잘돼서 겨울에도 따뜻하다.
열이 서로 통하지 않도록 막음.

① 單   ② 短   ③ 斷   ④ 但
홑 단   짧을 단   끊을 단   다만 단

5 바꿔 쓸 수 있는 말 1 이정표

🖊 밑줄 친 낱말과 바꿔 쓸 수 있는 낱말을 써 보세요.

1 우리 집 <u>근처</u>에는 약국이 정말 많다.
가까운 곳
⇨ | ㄱ | ㅂ |

2 이번 경기의 <u>승부</u>는 초반부터 결정이 났다.
이김과 짐.
⇨ | ㅅ | ㅍ |

3 우리 형은 <u>내년</u>에 고등학생이 된다.
올해의 바로 다음 해
⇨ | ㅇ | ㄷ | ㅎ |

4 눈사람이 따뜻한 <u>춘기</u>에 그만 녹아내렸다.
봄을 느끼게 해 주는 기운
⇨ | ㅂ | ㄱ | ㅜ |

5 그는 개미를 조사하려고 <u>개미굴</u>을 파기 시작했다.
개미가 구멍을 파고 모여 사는 곳
⇨ | ㄱ | ㅁ | ㅈ |

6 <u>이정표</u>를 따라 걷다 보니 어느새 목적지에 도착했다.
어떤 곳까지의 거리 및 방향을 알려 주는 표지
⇨ | ㄱ | ㅈ | ㅇ |

7 이 창고는 <u>통풍구</u> 외에도 창문이 있어 환기가 잘된다.
공기가 통하도록 낸 구멍
⇨ | ㄱ | ㄱ | ㄱ | ㅁ |

6 바꿔 쓸 수 있는 말 2 여기다

✏️ 밑줄 친 낱말과 바꿔 쓸 수 있는 낱말을 [보기]에서 찾아 알맞게 활용하여 써 보세요.

보기

꺾다	간주하다	뛰어넘다	비탈지다
시합하다	지속하다	차단하다	

1 나는 강한 햇빛을 <u>막기</u> 위해 커튼을 쳤다.
　　추위, 햇빛 따위가 어떤 대상에
　　미치지 못하게 하기

2 그는 어릴 때 사귄 친구들과 관계를 <u>유지하고</u> 있다.
　　　　어떤 상태나 상황을 그대로
　　　　이어 나가고

3 형사들은 그를 이번 사건의 범인으로 <u>여기고</u> 있었다.
　　　　마음속으로 그러하다고
　　　　생각하고

4 상대 팀의 기를 <u>누르기</u> 위해 목청껏 함성을 질렀다.
　　마음대로 행동하지 못하도록 억압하기

5 이 길은 <u>경사져서</u> 자전거로 내려갈 때 조심해야 한다.
　　　땅이 한쪽으로 기울어져서

6 아이들이 운동장에서 누가 더 멀리 뛰는지 <u>겨루고</u> 있다.
　　　　누가 더 뛰어난지
　　　　드러나도록 싸우고

7 나는 하루도 <u>거르는</u> 법 없이 매일 꼬박꼬박 운동을 한다.
　　어느 순서나 자리를 빼고 넘기는

29

7 뜻이 여러 가지인 말 넘다

✏️ 밑줄 친 낱말의 알맞은 뜻을 찾아 번호를 써 보세요.

> **넘다**
> ① 일정한 시간, 시기, 범위 따위에서 벗어나 지나다.
> ② 높은 부분의 위를 지나다.
> ③ 일정한 기준이나 한계 따위를 벗어나 지나다.
> ④ 어려움이나 고비 따위를 겪어 지나다.

① 이 줄은 길이가 무려 40미터가 <u>넘는다</u>. ⇨ ☐

② 그의 춤 실력은 아마추어 수준을 <u>넘지</u> 못한다. ⇨ ☐

③ 그는 산을 <u>넘고</u> 강을 건너서 목적지에 도착했다. ⇨ ☐

④ 도둑은 안방의 창문을 <u>넘어서</u> 들어왔다고 말했다. ⇨ ☐

⑤ 고비를 무사히 <u>넘기고</u> 마침내 그녀는 성공을 했다. ⇨ ☐

⑥ 연주는 약속 시간이 한 시간이나 <u>넘어서야</u> 나타났다. ⇨ ☐

⑦ 인호의 수영 실력은 아직 초보자 수준을 <u>넘지</u> 못했다. ⇨ ☐

더 알아두기

'넘다'의 여러 뜻은 무엇인가를 지난다는 뜻으로 서로 연결되어 있어요. 이처럼 다의어는 한 낱말이

조금씩 다른 뜻을 가지지만 여러 뜻들은 기본 의미에서 넓어진 뜻이에요.

8 움직임을 나타내는 말 진상하다

✎ 밑줄 친 낱말을 따라 써 보고, 뜻으로 알맞은 것을 찾아 번호를 써 보세요.

1 이 인삼은 임금님께 진 상 할 귀중한 것이다.   (   )

① 눈으로 대상을 즐기거나 감상하게 할
② 귀한 물품이나 지방의 특산물을 왕이나 높은 관리에게 바칠

2 방송사는 정확한 뉴스를 공 급 하 기 위해 노력하고 있다. (   )

① 요구나 필요에 따라 물품 따위를 제공하기
② 사람이나 사물을 다른 사람이나 사물로 대신하기

3 언니는 침대 모서리에 걸 터 앉 아 책을 읽고 있다.   (   )

① 벽 따위에 몸을 의지하여 비스듬히 앉아
② 어떤 물체에 온몸의 무게를 실어 걸치고 앉아

4 여행을 통해 그 지역 사람들의 생활상을 체 험 할 수 있다. (   )

① 자기가 몸소 겪을
② 사물이나 현상을 주의하여 자세히 살펴볼

5 이 미술관에서는 주로 동양화 작품을 전 시 한 다 .   (   )

① 자랑하여 보인다.
② 여러 가지 물품을 한곳에 차려 놓고 보게 한다.

6 이 백화점에서는 연말마다 할인 행사를 진 행 하 고 있다. (   )

① 일 따위를 처리하여 나가고
② 여유를 주지 아니하고 계속 몰아붙이고

9 헷갈리기 쉬운 말 제치다/젖히다

✏️ 주어진 뜻을 참고하여 문장에 어울리는 낱말을 찾아 ○표 하세요.

메다	어깨에 걸치거나 올려놓다.
매다	따로 떨어지거나 풀어지지 않도록 끈이나 줄의 두 끝을 서로 묶다.

1 한복을 입고 저고리의 옷고름을 예쁘게 (메었다 / 매었다).

2 수백 명의 군인들이 총을 (메고 / 매고) 행군을 하고 있다.

3 사내들이 줄을 어깨에 (메고 / 매고) 줄다리기를 할 곳으로 옮겼다.

제치다	일을 미루다.
젖히다	안쪽이 겉으로 나오게 하다.

4 나는 이불을 (제치고 / 젖히고) 침대에서 일어나 화장실로 갔다.

5 대보름에는 모든 일을 (제쳐 / 젖혀) 두고 줄다리기를 준비한다.

6 그는 코트 자락을 (제치고 / 젖히고) 의자에 앉아 커피를 마셨다.

7 그녀는 제집 일은 (제쳐 / 젖혀) 두고 남의 집 일에 발 벗고 나섰다.

10 잘못 쓰기 쉬운 말 위쪽

🖊 다음 문장에 알맞은 낱말을 찾아 ○표 하고, 바르게 써 보세요.

6일

○ 월
○ 일

① (위글 / 윗글)을 읽고 다음 질문에 답을 하세요. ⇨

② 산 (위쪽 / 윗쪽)으로 올라갈수록 숨이 차올랐다. ⇨

③ 그는 (위입술 / 윗입술)을 자꾸 깨무는 버릇이 있다. ⇨

④ 수지는 (위눈썹 / 윗눈썹)이 유달리 길어서 마치 인형 같다. ⇨

⑤ 그녀는 에스컬레이터를 타고 (아래층 / 아랫층)으로 내려갔다. ⇨

⑥ 우리는 할머니 댁 (아래방 / 아랫방)에 모여 이야기를 나누었다. ⇨

⑦ 그는 (아래사람 / 아랫사람)에게 친절하게 대해서 평판이 좋다. ⇨

더 알아두기

순우리말로 된 합성어 앞말이 모음으로 끝나는 경우 사이시옷을 적어야 하지만 뒷말의 첫소리가 된소리(ㄲ, ㄸ, ㅃ, ㅆ, ㅉ)나 거센소리(ㅊ, ㅋ, ㅌ, ㅍ)일 경우 사이시옷을 붙이지 않아요.

🖉 빈칸에 알맞은 낱말을 써서 문장을 완성해 보세요.

1 배추가 잘 자라도록 밭에 ㅂ ㄹ 를 뿌려 주었다.

　　　농사를 지을 때 땅에 뿌리는 영양 물질

2 이 식물은 마른땅보다는 ㅅ ㅈ 에서 잘 자란다.

　　　습기가 많은 축축한 땅

3 햇빛은 동물의 ㅂ ㅅ 시기에 영향을 미치기도 한다.

　　　생물체의 수나 양이 늘어서 많이 퍼짐.

4 오징어들이 ㅌ ㅍ 을 맞으며 알맞게 건조되고 있다.

　　　바다에서 육지로 불어오는 바람

5 공장 ㅍ ㅅ 가 강으로 흘러 들어와 강물의 오염이 심각하다.

　　　공장이나 광산 등에서 쓰고 난 뒤에 버리는 더러운 물

6 다양한 생물들은 ㅁ ㅇ ㅅ ㅅ 로 긴밀히 연결되어 있다.

　　　생태계에서 먹이를 중심으로 이어진 생물 간의 관계

7 특정한 생물의 수가 갑자기 늘거나 줄면 생태계의 ㅍ ㅎ 이 깨질 수 있다.

　　　한쪽으로 기울지 않고 안정해 있음.

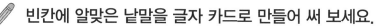 빈칸에 알맞은 낱말을 글자 카드로 만들어 써 보세요.

| 입 | 털 | 주 | 이 | 손 | 갈 | 실 |

1 가을이 다가오자 우리 집 강아지가 [   ]를 한다.

짐승이나 새의 묵은 털이 빠지고 새 털이 남.
또는 그런 일

2 간호사는 환자에게 주사기로 약물을 천천히 [   ]했다.

흘러 들어가도록 부어 넣음.

3 영양소의 [   ]을 최대한 막기 위해 빠른 시간 내에 조리해야 한다.

잃어버리거나 줄어서 손해를 봄.

| 원 | 식 | 복 | 서 | 패 | 지 | 부 |

4 환경은 한번 오염되면 [   ]하는 데 오랜 시간이 걸린다.

원래의 상태나 모습으로 돌아가게 함.

5 우리는 도롱뇽 [   ]에서 도롱뇽을 가까이에서 관찰하였다.

생물 따위가 일정한 곳에 자리를 잡고 사는 곳

6 멸균 우유가 아닌 일반 우유는 [   ]를 막기 위해 냉장 보관을 해야 한다.

단백질이나 지방 따위가 미생물의 작용에 의하여 썩는 것

다음 빈칸에 글자를 넣어 낱말을 완성하세요.

¹□재   지금의 시간

²지□다   한가운데로 지나가다.

³빙□   얼음을 넣어 두는 창고

⁴□기   봄을 느끼게 해 주는 기운

⁵□사□다   땅이 한쪽으로 기울어지다.

⁶거□다   어느 순서나 자리를 빼고 넘기다.

⁷중□   어떤 일을 중간에 멈추거나 그만둠.

⁸□빙   한겨울의 얼음을 보관했다가 쓰는 기술

⁹유□하다   어떤 상태나 상황을 그대로 이어 나가다.

¹⁰이□표   어떤 곳까지의 거리 및 방향을 알려 주는 표지

정답   1. 현   2. 르   3. 고   4. 춘   5. 경, 지   6. 르   7. 단   8. 장   9. 지   10. 정

¹¹제□다 | 일을 미루다.

¹²체□하다 | 자기가 몸소 겪다.

¹³□다 | 어깨에 걸치거나 올려놓다.

¹⁴□히다 | 안쪽이 겉으로 나오게 하다.

¹⁵번□ | 생물체의 수나 양이 늘어서 많이 퍼짐.

¹⁶걸□앉다 | 어떤 물체에 온몸의 무게를 실어 걸치고 앉다.

¹⁷전□하다 | 여러 가지 물품을 한곳에 차려 놓고 보게 하다.

¹⁸□이□슬 | 생태계에서 먹이를 중심으로 이어진 생물 간의 관계

¹⁹털□이 | 짐승이나 새의 묵은 털이 빠지고 새 털이 남. 또는 그런 일

²⁰진□하다 | 귀한 물품이나 지방의 특산물을 왕이나 높은 관리에게 바치다.

3 장 의견을 조정하며 토의해요

1 토의의 유형

✏️ 밑줄 친 말을 따라 써 보고, 그에 해당하는 토의 유형을 [보기]에서 찾아 기호를 써 보세요.

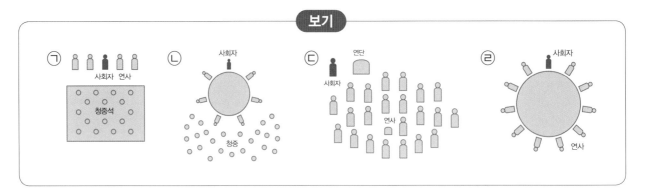

1 3~6명의 전문가들이 청중 앞에서 의견을 나누고, 청중과 묻고 답하는 시간을 갖는 형식을 <u>패널 토의</u>라고 한다.

2 10명 내외의 구성원들이 원탁에 둘러앉아 문제에 대해 자유롭게 이야기하는 형식을 <u>원탁 토의</u>라고 한다.

3 4~5명의 전문가들이 청중 앞에서 발표를 한 후에 청중과 묻고 답하는 시간을 갖는 형식을 <u>심포지엄</u>이라고 한다.

4 전문가 한 사람이 문제에 대한 여러 견해를 밝히고, 청중과 묻고 답하는 형식을 <u>포럼</u>이라고 한다.

38

2 꾸며 주는 말 정확히

✏️ 밑줄 친 낱말을 따라 쓰고, 그에 알맞은 뜻을 [보기]에서 찾아 기호를 써 보세요.

보기

㉠ 매 때마다　　　　　　　㉡ 여간하여서는
㉢ 틀림없이 꼭　　　　　　㉣ 바르고 확실하게
㉤ 몸이나 마음이 괴롭지 않고 좋게　㉥ 사소한 부분까지 아주 구체적이고 분명하게

① 가까운 사이일수록 돈 계산은 정확히 해야 한다.　⇨ ☐

② 우리는 이 문제를 좀 더 자세히 살펴보기로 했다.　⇨ ☐

③ 이번 경기는 우리 팀이 반드시 이기고 말 것이다.　⇨ ☐

④ 서하는 좀처럼 자신의 속마음을 드러내는 일이 없다.　⇨ ☐

⑤ 그는 번번이 늦잠을 자서 학교에 지각하기 일쑤이다.　⇨ ☐

⑥ 바깥에서 시끄러운 소리가 들려와서 잠을 편히 잘 수 없었다.　⇨ ☐

3 주제별 어휘 방송

✏️ 빈칸에 알맞은 낱말을 써서 문장을 완성해 보세요.

1 이 드라마는 최고의 [ㅅ][처][ㄹ]을 기록했다.
텔레비전의 한 프로그램을 시청하는 사람들의 비율

2 그는 생생한 [ㅊ][재]를 위해 사건 현장으로 갔다.
작품이나 기사에 필요한 재료나 제재를 조사하여 얻음.

3 그 방송사는 [ㅂ][ㄷ]의 내용이 정확하기로 유명하다.
신문, 방송 등을 통해 여러 사람에게 새로운 소식을 알림. 또는 그 소식

4 [어][ㄹ]의 자유가 보장되어야 진정한 민주주의 사회이다.
신문이나 방송 등에서 어떤 사실을 알리거나 여론을 만드는 활동

5 예능 프로그램은 주로 주말 저녁 시간에 [펴][ㅅ]되어 있다.
방송 프로그램의 시간표를 짬.

6 [ㄱ][ㅈ]들은 다른 사람들보다 여러 소식에 한발 앞서야 한다.
신문, 잡지, 방송 등에 실을 기사를 조사하여 쓰거나 편집하는 사람

7 [고][ㅇ][ㅂ][ㅅ]은 공익을 위한 프로그램을 주로 제작한다.
국가나 사회 구성원 모두의 이익을 목적으로 하는 방송. 또는 그 기관

4 한자어 배(配), 예(豫), 의(意)

✏️ 밑줄 친 낱말들 중 주어진 한자가 쓰이지 않은 것을 찾아 ✔표 하세요.

1

配
나눌 배

- [ ] 가구의 배치를 바꾸었다.
  사람이나 물건 등을 알맞은 자리에 나누어 놓음.
- [ ] 친구의 따뜻한 배려에 감동했다.
  도와주거나 보살펴 주려고 마음을 씀.
- [ ] 배경이 예쁜 곳에서 사진을 찍었다.
  뒤쪽의 경치
- [ ] 학생들이 줄을 서서 배식을 기다린다.
  군대 등의 단체에서 식사를 나누어 줌.

2

豫
미리 예

- [ ] 경민이의 행동은 예측을 할 수 없다.
  앞으로의 일을 추측함.
- [ ] 예상대로 수학 시험 문제는 어려웠다.
  앞으로 있을 일이나 상황을 짐작함. 또는 그런 내용
- [ ] 이번 대회에는 모두가 예외 없이 참여했다.
  일반적인 규칙이나 예에서 벗어나는 일
- [ ] 그는 예약 시간에 늦지 않게 치과에 도착했다.
  자리나 방, 물건 등을 사용하기 위해 약속함. 또는 그런 약속

3

意
뜻 의

- [ ] 두 낱말은 같은 의미로 쓰인다.
  말이나 글의 뜻
- [ ] 우리는 전문가의 의견을 따르기로 결정했다.
  어떤 대상에 대하여 가지는 생각
- [ ] 나는 선의로 한 말이었는데 경수는 오해를 했다.
  좋은 의도
- [ ] 선아는 의심이 많아 다른 사람을 잘 믿지 않는다.
  확실히 알 수 없어서 믿지 못하는 마음

41

5 뜻이 반대인 말 자율/타율

✏️ **밑줄 친 낱말과 뜻이 반대인 낱말을 써 보세요.**

1 자판기는 생활에 많은 편리를 제공하고 있다.
이용하기 쉽고 편함.
➡️ 부 | 펴

2 많은 학생들이 자율 학습에 참여하길 원했다.
스스로의 원칙에 따라 자신의 행위를 통제하는 일
➡️ ㅌ | 유

3 준희는 허약 체질이라 체육 성적이 좋지 않다.
힘이나 기운이 없고 약함.
➡️ 거 | ㄱ

4 그는 위험을 무릅쓰고 물에 빠진 아이를 구해 냈다.
해를 입거나 다칠 가능성이 있어 안전하지 못함. 또는 그런 상태
➡️ ㅇ | 저

5 관광객의 증가로 인해 지역 주민들이 소음에 시달리고 있다.
수나 양이 더 늘어나거나 많아짐.
➡️ 가 | ㅅ

6 나는 하루하루의 삶에 만족을 느끼고 있다.
기대하거나 필요한 것이 모자람이 없거나 마음에 듦.
➡️ ㅂ | 마 | 조

7 일자리가 줄고 물가가 오르는 것은 경제의 적신호로 여길 수 있다.
위험을 알려 주는 분위기나 눈치
➡️ 처 | 시 | ㅎ

6 속담 고양이 목에 방울 달기

주어진 뜻에 알맞은 속담을 [보기]에서 찾아 써 보세요.

> **보기**
>
> 고양이 쫓던 개   고양이 앞에 쥐
>
> 고양이 세수하듯   고양이 쥐 생각
>
> 고양이 목에 방울 달기   고양이한테 생선을 맡기다

1 실행하기 어려운 것을 실속 없이 의논함을 이르는 말

⇨ --

2 무서운 사람 앞에서 기가 죽어 꼼짝 못한다는 말

⇨ --

3 세수를 하되 콧등에 물만 묻히는 정도로 하나 마나 하게 함을 이르는 말

⇨ --

4 속으로는 해칠 마음을 품고 있으면서, 겉으로는 생각해 주는 척함을 이르는 말

⇨ --

5 어떤 일이나 사물을 믿지 못할 사람에게 맡겨 놓고 걱정함을 비유적으로 이르는 말

⇨ --

6 애쓰던 일이 실패로 돌아가거나, 같이 애쓰다가 남에게 뒤져 어쩔 도리가 없게 됨을 이르는 말

⇨ --

7 활용형

'ㅂ'이 모음으로 시작하는 말 앞에서 '오/우'로 변하는 경우가 있어요. '줍다'의 '줍-'이 '-어'와 결합할 때 'ㅂ'이 '우'로 변해 '주워'가 돼요.

줍- + -어 → 주워

받침 'ㅂ'이   모음으로 시작하는   'ㅜ'로 변함.
말과 만나

✏️ 주어진 낱말을 알맞게 활용하여 문장을 완성해 보세요.

1 입다 ⇨
- 나는 새 옷을 _____ 학교에 갔다.
- 몸에 맞지 않는 옷을 _____ 불편하다.
- 그는 옷을 넉넉하게 _____ 것을 좋아한다.

2 가볍다 ⇨
- _____ 상자를 네가 들어라.
- 동생은 나보다 _____ 형은 나보다 무겁다.
- 서우는 몸이 _____ 나도 쉽게 업을 수 있다.

3 줍다 ⇨
- 농부가 들판에서 이삭을 _____ 있다.
- 길에서 _____ 지갑을 경찰서에 가져다주었다.
- 복도에 떨어진 쓰레기를 _____ 쓰레기통에 넣었다.

4 어렵다 ⇨
- 영호는 _____ 수학 문제도 잘 푼다.
- 문제가 너무 _____ 푸는 데 시간이 오래 걸렸다.
- 선생님께서 시험 문제를 _____ 낼 거라고 하셨다.

8 뜻이 여러 가지인 말 막다

🖉 밑줄 친 낱말의 알맞은 뜻을 찾아 번호를 써 보세요.

> 막다   ① 길, 통로 따위가 통하지 못하게 하다.
> ② 트여 있는 곳을 가리게 둘러싸다.
> ③ 강물, 추위, 햇빛 따위가 어떤 대상에 미치지 못하게 하다.
> ④ 어떤 일이나 행동을 못하게 하다.

❶ 민호는 경수와 민철이의 싸움을 막았다.   ⇨ ☐

❷ 주말에 울타리로 정원을 막는 공사를 했다.   ⇨ ☐

❸ 앞 건물이 햇빛을 막고 있어 실내가 어둡다.   ⇨ ☐

❹ 사람이 지나다니지 못하도록 길을 막아 놓았다.   ⇨ ☐

❺ 나는 결국 그의 말을 막지 못해서 창피를 당했다.   ⇨ ☐

❻ 이번 겨울은 추위를 어떻게 막아야 할지 고민이다.   ⇨ ☐

❼ 밖에서 시끄러운 소리가 들려와서 손으로 귀를 막았다.   ⇨ ☐

9 바꿔 쓸 수 있는 말 부딪치다

✏️ 밑줄 친 낱말과 바꿔 쓸 수 있는 낱말을 [보기]에서 찾아 알맞게 활용하여 써 보세요.

> **보기**
>
> 우기다   무방하다   생활하다   예측하다
> 찬동하다   처신하다   충돌하다

① 이 일을 다른 사람에게 말해도 상관없다.
　　　　　　　　　　　　　　　　문제 될 것이 없다.
　　　　　　　　　　　　　　　　　　　⇨ ▢

② 지금 상황으로는 결과를 내다보기 어렵다.
　　　　　　　　　　　앞일을 미리 헤아리기
　　　　　　　　　　　　　　　　　　　⇨ ▢

③ 우리들은 모두 승찬이의 의견에 동의했다.
　　　　　　　　　　　　　　의사나 의견을 같이했다.
　　　　　　　　　　　　　　　　　　　⇨ ▢

④ 나는 언니와 사사건건 부딪쳐서 자주 싸운다.
　　　　　　　　　　의견이나 생각의 차이로 다른 사람과
　　　　　　　　　　반대되는 관계에 놓여서
　　　　　　　　　　　　　　　　　　　⇨ ▢

⑤ 그는 예기치 못한 상황에서 현명하게 대처했다.
　　　　　　　　　　　　어떤 어려운 일이나 상황에 대해
　　　　　　　　　　　　알맞게 행동했다.
　　　　　　　　　　　　　　　　　　　⇨ ▢

⑥ 자신의 생각만 고집하는 것은 좋지 못한 태도이다.
　　　　　　　자기의 의견을 바꾸거나 고치지 않고 굳게 버티는
　　　　　　　　　　　　　　　　　　　⇨ ▢

⑦ 요즘은 교실에서 항상 공기 청정기를 틀고 지낸다.
　　　　　　　　　　　　　어떠한 정도나 상태로 살아간다.
　　　　　　　　　　　　　　　　　　　⇨ ▢

10 뜻을 더하는 말 -치-

'-치-'는 다른 말에 붙어 '강조'의 뜻을 더하는 말이에요.

힘을 합하다. → 힘을 **합치다.**
'합하다'를 강조하여 이르는 말

✏️ 밑줄 친 낱말에 '-치-'를 더해 뜻을 강조하는 말을 써 보세요.

1 실수로 국을 <u>엎어</u> 버렸다.   ⇨

2 감나무의 가지가 이웃집 담까지 <u>뻗어</u> 나갔다.   ⇨

3 그녀는 술을 체에 <u>밭고</u> 있었다.   ⇨

4 매우 크고 무거운 문을 몸으로 <u>밀었다.</u>   ⇨

5 컵에 우유가 <u>넘지</u> 않게 조심히 따라라.   ⇨

6 반 아이들이 책장을 옮기기 위해 힘을 <u>합했다.</u>   ⇨

✏️ 빈칸에 알맞은 낱말을 써서 문장을 완성해 보세요.

1 개인 정보를 함부로 ⬚ᄋ ⬚ᄎ 해서는 안 된다.

물품이나 정보 따위가 불법적으로 외부로 나가 버림.
또는 그것을 내보냄.

2 ⬚ᄌ ⬚ᄌ 의 힘을 길러 스마트폰을 적당히 사용해야 한다.

정도에 넘지 아니하도록 알맞게 조절하여 제한함.

3 그는 말을 할 때마다 실수하지 않도록 ⬚ᄉ ⬚ᄌ 을 기했다.

매우 조심스러움.

4 그는 물건들을 ⬚ᄌ ⬚ᄑ 과 불량품으로 나누어 정리하였다.

진짜이거나 온전한 물품

5 ⬚ᄉ ⬚ᄋ ⬚ᄇ ⬚ᄀ ⬚가 은 언제 어디서나 이용할 수 있다.

컴퓨터에서, 실제 세계와 비슷하게 만든 가상 공간

6 어려운 상황에서는 먼 친척보다 ⬚ᄋ ⬚ᄋ ⬚ᄉ ⬚ᄎ 이 더 낫다.

서로 이웃에 살면서 정이 들어 사촌 형제나 다를 바 없이 가까운 이웃

7 두 아이는 서로 ⬚ᄆ ⬚ᄌ ⬚ᄀ 를 쳐 가며 즐겁게 대화를 나누었다.

남의 말에 덩달아 호응하거나 동의하는 일

8 상대방과 대화를 나눌 때에는 서로의 의견을 ⬚ᄌ ⬚ᄌ 해 주어야 한다.

높이어 귀중하게 대함.

✏️ 빈칸에 알맞은 낱말을 글자 카드로 만들어 써 보세요.

| 권 | 정 | 경 | 조 | 작 | 저 | 청 |

① 아이들의 의견 [   ] 을 위해 각각의 말을 들어 보았다.

다툼을 중간에서 화해하게 하거나 서로 타협점을 찾아 합의하도록 함.

② [   ] 이 잘 보호되어야 작가들의 창작 의욕을 높일 수 있다.

창작물에 대하여 저작자나 그 권리를 이어받은 사람이 갖는 권리

③ 대화에서 말을 하는 것보다 중요한 것은 [   ] 을 하는 것이다.

귀를 기울여 들음.

| 네 | 처 | 켓 | 출 | 독 | 티 | 중 |

④ 남의 글에서 가져온 내용은 반드시 [   ] 를 밝혀야 한다.

사물이나 말 따위가 생기거나 나온 근거

⑤ 인터넷에서는 자신이 드러나지 않을지라도 [   ] 을 지켜야 한다.

컴퓨터 통신이나 인터넷상에서 지켜야 하는 예절

⑥ 오랜 시간 정보 기기를 사용하면 온라인 [   ] 에 빠질 위험성이 있다.

어떤 사상이나 사물에 젖어 버려
정상적으로 사물을 판단할 수 없는 상태

다음 빈칸에 낱말을 넣어 문장을 완성하세요.

선의

좋은 의도

예 나는 그의 행동을 [ ][ ]로 받아들이기로 했다.

번번이

매 때마다

예 그는 [ ][ ][ ] 약속을 어겨 사람들의 불만을 샀다.

허약

힘이나 기운이 없고 약함.

예 나는 [ ][ ] 체질이었지만 운동을 해서 건강해졌다.

배치

사람이나 물건 등을 알맞은 자리에 나누어 놓음.

예 가구의 [ ][ ]를 알맞게 하면 공간이 더 넓어 보인다.

취재

작품이나 기사에 필요한 재료나 제재를 조사하여 얻음.

예 이 사건의 [ ][ ] 도중 새로운 사실을 알게 되었다.

적신호

위험을 알려 주는 분위기나 눈치

예 식욕이 떨어지는 것은 건강의 [ ][ ][ ]일 수 있다.

시청률

텔레비전의 한 프로그램을 시청하는 사람들의 비율

예 그들은 [ ][ ][ ]이 낮은 프로그램을 폐지했다.

보도

신문, 방송 등을 통해 여러 사람에게 새로운 소식을 알림. 또는 그 소식

예 그 신문사는 신문에 잘못 [ ][ ]된 내용을 정정했다.

출처	사물이나 말 따위가 생기거나 나온 근거 예 남의 글에서 끌어온 내용에 대해 ☐☐를 밝혔다.
신중	매우 조심스러움. 예 형은 자신의 진로를 선택하는 일에 ☐☐을 기했다.
대처하다	어떤 어려운 일이나 상황에 대해 알맞게 행동하다. 예 지도자는 위기 상황에 지혜롭게 ☐☐해야 한다.
절제	정도에 넘지 아니하도록 알맞게 조절하여 제한함. 예 작품의 ☐☐ 있는 표현에서 더 큰 감동이 느껴졌다.
합치다	'합하다'를 강조하여 이르는 말 예 여럿이 힘을 ☐☐면 문제를 더 쉽게 해결할 수 있다.
내다보다	앞일을 미리 헤아리다. 예 역사 공부는 미래를 ☐☐☐는 데 도움이 된다.
부딪치다	의견이나 생각의 차이로 다른 사람과 반대되는 관계에 놓이다. 예 그 둘은 사사건건 ☐☐☐더니 결국 절교했다.
유출	물품이나 정보 따위가 불법적으로 외부로 나가 버림. 또는 그것을 내보냄. 예 고객 정보가 ☐☐되지 않도록 보안에 신경을 쓴다.

국어 교과서 124~153쪽

1 글쓰기 과정

다음은 글쓰기 과정을 순서대로 나타낸 것입니다. 설명에 알맞은 글쓰기 단계를 [보기]에서 찾아 써 보세요.

보기

| 계획하기 | 고쳐쓰기 | 표현하기 | 내용 생성하기 | 내용 조직하기 |

① 글 쓸 준비를 하는 단계 ⇨ _____ 단계

② 쓸 내용을 떠올리는 단계 ⇨ _____ 단계

③ 쓸 내용을 나누는 단계 ⇨ _____ 단계

④ 직접 글을 쓰는 단계 ⇨ _____ 단계

⑤ 글을 고치는 단계 ⇨ _____ 단계

2 주제별 어휘 1 글쓰기

'글쓰기'는 '생각이나 사실 따위를 글로 써서 표현하는 일'이에요. 이야기나 감정을 표현하거나 사실이나 의견 따위의 정보를 전달하기 위해 글을 써요.

🖊 빈칸에 알맞은 낱말을 써서 문장을 완성해 보세요.

① 나는 눈사람을 [ㄱ][ㄱ] 으로 삼아 시를 지었다.
글의 내용이 되는 재료

② 이 그림은 에너지 절약을 [ㅈ][ㅈ] 로 그린 것이다.
예술 작품에서 지은이가 표현하고자 하는 주된 생각

③ 이 글의 [ㅁ][ㅈ] 이 첫 단락에 명확히 나타나 있다.
이루려고 하는 일이나 나아가고자 하는 방향

④ 이 소설은 예상치 못한 방향으로 [ㅈ][ㄱ] 되어 갔다.
내용을 진행시켜 펴 나감.

⑤ 그 소설을 읽은 지가 오래되어서 [ㅈ][ㅁ] 을 잊어버렸다.
글, 영화, 공연 따위에서 중심이 되는 내용을 나타내기 위해 붙이는 이름

⑥ 글을 쓰기에 앞서, 글의 전체적인 [개][ㅇ] 를 먼저 작성했다.
간결하게 추려 낸 주요 내용

⑦ 이 책의 [ㄱ][ㅁ][리] 에는 작가가 글을 쓰게 된 동기가 적혀 있다.
글을 시작하는 첫머리

53

3 주제별 어휘 2 연극

'연극'은 배우가 각본에 따라 어떤 사건이나 인물을 말과 동작으로 관객에 보여 주는 무대 예술이에요. 연극은 관객과 배우가 같은 공간에서 같은 시간을 나눈다는 점에서 영화와 차이가 있어요.

빈칸에 알맞은 낱말을 써서 문장을 완성해 보세요.

1 이 연극에서는 신인 ㅂ 우 가 셋이나 등장한다.

연극이나 영화 따위에 등장하는 인물로 분장하여 연기를 하는 사람

2 공연이 끝나자 관 ㄱ 들은 모두 일어나서 박수를 쳤다.

운동 경기, 공연, 영화 따위를 보거나 듣는 사람

3 공연은 연기자들의 ㅈ ㅎ 여 ㄱ 가 더 재미있었다.

연기자가 즉석에서 하는 동작이나 대사

4 이 ㅁ 어 ㄱ 에서 주인공의 표정 연기가 매우 인상 깊었다.

대사 없이 표정과 몸짓만으로 내용을 전달하는 연극

5 여 ㅊ ㄱ 는 이 장면에서 화려한 조명을 밝힐 것을 지시했다.

각본에 따라 모든 일을 지시하고 감독하여
작품을 만드는 일을 하는 사람

6 무대 뒤에서는 다음 장면에 쓰일 ㅅ 푸 을 준비하느라 바빴다.

연극이나 영화 등에서 무대 장치나 분장 등에 쓰는 작은 도구

54

4 문장 성분

문장 성분은 문장을 구성하는 부분이에요. 문장 성분으로는 주어, 목적어, 서술어 따위가 있어요.

나는 텔레비전을 본다.
주어　　　목적어　　　서술어

✏️ 주어진 문장에서 주어, 목적어, 서술어를 찾아 써 보세요.

1 동생이 자장면을 먹는다.

주어	목적어	서술어

2 나는 방에서 책을 읽는다.

주어	목적어	서술어

3 형은 텔레비전을 보고 나는 게임을 한다.

주어	목적어	서술어

4 부모님은 회사에 가시고 나는 학교에 간다.

주어	서술어

5 아빠는 청소를 하시고 엄마는 설거지를 하신다.

주어	목적어	서술어

5 주어와 서술어의 호응

문장을 쓸 때에는 주어와 서술어의 호응을 잘 생각해야 해요. 주어와 서술어의 호응이 맞지 않으면 어색한 문장이 되기 때문이에요. 특히 주어가 여러 개일 때 각각의 주어에 호응하는 서술어가 있는지 잘 살펴봐야 해요.

그녀는 밥을 먹고 커피를 마신다.

✏️ 다음 문장을 바르게 고치려고 해요. 빈칸에 알맞은 낱말을 [보기]에서 찾아 활용하여 써 보세요.

보기
먹다   불다   추다   내리다   뛰놀다   마시다   부르다   지저귀다

1 나는 아침마다 빵과 우유를 마신다.

⇨ 나는 아침마다 빵을 [   ] 우유를 [   ] .

2 유정이가 무대에서 노래와 춤을 춘다.

⇨ 유정이가 무대에서 노래를 [   ] 춤을 [   ] .

3 숲속에는 토끼와 참새가 지저귀고 있습니다.

⇨ 숲속에는 토끼가 [   ] 참새가 [   ] 있습니다.

4 날이 갑자기 흐려지더니 바람과 비가 내린다.

⇨ 날이 갑자기 흐려지더니 바람이 [   ] 비가 [   ] .

6 부정적인 말과 호응하는 말 결코

'결코, 전혀'와 같은 낱말은 '안', '못'이 꾸며 주는 서술어나 '-지 않다, -지 못하다'와 같은 부정적인 서술어와 호응해요.

나는 **결코** 거짓말을 <u>하지 않았다</u>.

🖉 밑줄 친 부분에 주의하며 빈칸에 알맞은 낱말을 써 보세요.

1 겨울이지만 날씨가 | ㄱ | ㄷ | ㅈ | <u>춥지 않다</u>.
그러한 정도로는. 또는 그렇게까지는

2 예서는 수영을 | ㅂ | ㄹ | <u>좋아하지 않는</u> 편이다.
이렇다 하게 따로

3 나는 민우의 말을 | ㄷ | ㅈ | ㅎ | 이해할 수 <u>없다</u>.
아무리 하여도

4 영희의 말은 | ㅈ | ㅎ | 들어 본 적이 <u>없는</u> 내용이었다.
도무지, 완전히

5 이 일을 혼자 해내는 것은 | ㅇ | 가 | 어려운 일이 <u>아니다</u>.
그 상태가 보통으로 보아 넘길 만한 것임을 나타내는 말

6 선아가 민주를 놀린 것은 | 겨 | ㅋ | 바른 행동이라고 생각하지 <u>않는다</u>.
어떤 경우에도 절대로

57

7 문장의 호응

✏️ 문장 성분의 호응 관계를 생각하며 밑줄 친 말을 알맞게 고쳐 써 보세요.

①

나는 아까 간식을 <u>먹는다</u>.

②

어제저녁에 강아지와 함께 산책을 <u>간다</u>.

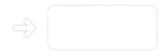

③

나는 어제 텔레비전을 한 시간 동안 <u>본다</u>.

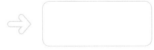

④

어머니께서 나에게 손을 <u>씻으시라고</u> 하셨다.

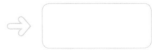

⑤

선생님께서 우리에게 어려운 내용은 질문을 <u>하시라고</u> 하셨다.

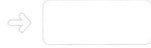

8 높임 표현

✏️ 밑줄 친 낱말에 '–시–'를 넣어 알맞은 높임 표현으로 고쳐 써 보세요.

1 아버지께서 주말마다 요리를 <u>한다</u>. ⇨ ▢

2 선생님께서 손짓으로 나를 <u>부른다</u>. ⇨ ▢

3 할아버지께서 아침마다 신문을 <u>읽는다</u>. ⇨ ▢

4 할머니께서 거실에서 텔레비전을 <u>본다</u>. ⇨ ▢

✏️ 밑줄 친 낱말을 알맞은 높임말로 고쳐 써 보세요.

1 나는 할머니를 <u>데리고</u> 병원에 갔다. ⇨ ▢ 모 ▢ 시 ▢ 고

2 할머니께서 방에서 <u>잔다</u>. ⇨ 주 ▢ 무 ▢ 신 ▢ 다 ▢

3 할아버지께서 진지를 <u>먹는다</u>. ⇨ 주 ▢ 스 ▢ 신 ▢ 다 ▢

59

9 흉내 내는 말 주뼛주뼛

'주뼛주뼛'은 쑥스럽거나 부끄러워서 자꾸 주저하거나 머뭇거리는 모양이에요. '쭈뼛쭈뼛'은 '주뼛주뼛' 보다 센 느낌을 줘요.

✏️ 밑줄 친 낱말을 따라 쓰고, 보다 큰 느낌을 주는 말을 빈칸에 써 보세요.

1 아기가 손을 | 곰 | 지 | 락 | 곰 | 지 | 락 | 움직인다.
몸을 계속 천천히 작게 움직이는 모양

⇨ ------------------------------

2 두부를 | 숭 | 덩 | 숭 | 덩 | 잘라서 된장찌개에 넣었다.
연한 물건을 조금 큼직하고 거칠게 자꾸 빨리 써는 모양

⇨ ------------------------------

3 강아지 목에 달린 방울이 | 잘 | 랑 | 잘 | 랑 | 울린다.
작은 방울 따위가 자꾸 흔들리거나 부딪쳐 울리는 소리

⇨ ------------------------------

4 언니는 책을 읽으며 | 질 | 금 | 질 | 금 | 눈물을 흘렸다.
액체 따위가 자꾸 조금씩 새어 흐르거나 나왔다 그쳤다 하는 모양

⇨ ------------------------------

5 마침내 한 아이가 | 주 | 뼛 | 주 | 뼛 | 무대 앞으로 나섰다.
쑥스럽거나 부끄러워서 자꾸 주저하거나 머뭇거리는 모양

⇨ ------------------------------

60

10 자주 쓰는 말 물 퍼붓듯

✏️ 그림의 상황과 어울리도록 빈칸에 알맞은 말을 [보기]에서 찾아 써 보세요.

보기

물과 불   물 쓰듯   물로 보다   물 퍼붓듯

①

⇨ 돈을 _____ 쓴다.

물건을 헤프게 쓰거나, 돈 따위를 마구 쓰며 낭비하다.

②

⇨ _____ 비가 내린다.

비가 몹시 세차게 내리다.

③

⇨ 다른 사람을 _____.

사람을 하찮게 보거나 쉽게 생각하다.

④

⇨ 두 아이는 _____ 같은 사이이다.

서로 너그럽게 받아들이지 못하거나 맞서는 상태

그림을 참고하여 빈칸에 알맞은 낱말을 보기에서 찾아 써 보세요.

보기

대칭   합동   대응각   대응변   대응점   선대칭 도형   점대칭 도형

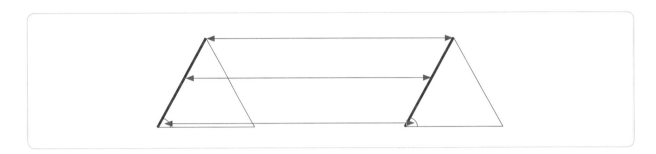

위의 두 삼각형처럼 두 개의 도형이 크기와 모양이 서로 포개었을 때 꼭 맞는 것을

_____ 이라고 해요. 이때, 서로 겹쳐지는 꼭짓점을 _____ 이라 하고, 서로

겹쳐지는 변을 _____ 이라 하며, 서로 겹쳐지는 각을 _____ 이라 해요.

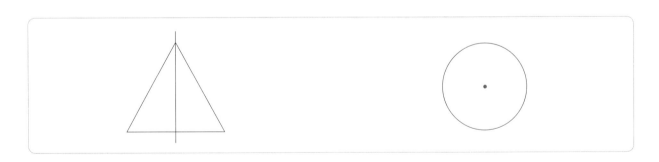

한 점이나 한 직선, 한 면을 사이에 두고 같은 거리에서 마주 보고 있는 일을

_____ 이라고 해요. 어떤 직선을 접었을 때 완전히 겹쳐지는 도형을 _____ 이라 하고,

한 점을 중심으로 180° 돌렸을 때 처음 도형과 완전히 포개지는 도형을 _____ 이

라고 하지요.

✏️ 주어진 낱말의 뜻을 참고하여 빈칸에 알맞은 낱말을 써 보세요.

- **초과**: 수량이나 정도가 일정한 기준을 넘음.
- **미만**: 수량이나 정도가 일정한 기준에 이르지 못함.
- **이상**: 수량이나 정도가 일정한 기준을 포함하여 그보다 많거나 나음.
- **이하**: 수량이나 정도가 일정한 기준을 포함하여 그보다 적거나 모자람.

1 4 [   ] 6 [   ] 인 자연수는 5, 6이다.

2 3 [   ] 7 [   ] 인 자연수는 4, 5, 6이다.

3 2 [   ] 5 [   ] 인 자연수는 2, 3, 4이다.

4 6 [   ] 8 [   ] 인 자연수는 6, 7, 8이다.

5 5세 [   ] 7세 [   ] 는 5세, 6세, 7세이다.

6 7세 [   ] 12세 [   ] 은 8세, 9세, 10세, 11세이다.

다음 빈칸에 글자를 넣어 낱말을 완성하세요.

¹ 도저 □   아무리 하여도

² 글 □ 리   글을 시작하는 첫머리

³ 글 □   글의 내용이 되는 재료

⁴ □ 개   내용을 진행시켜 펴 나감.

⁵ 개 □   간결하게 추려 낸 주요 내용

⁶ 그 □ 지   그러한 정도로는. 또는 그렇게까지는

⁷ 무 □ 극   대사 없이 표정과 몸짓만으로 내용을 전달하는 연극

⁸ □ 간   그 상태가 보통으로 보아 넘길 만한 것임을 나타내는 말

⁹ 이 □   수량이나 정도가 일정한 기준을 포함하여 그보다 많거나 나음.

¹⁰ 연 □ 가   각본에 따라 모든 일을 지시하고 감독하여 작품을 만드는 일을 하는 사람

정답   1. 히   2. 머   3. 감   4. 전   5. 요   6. 다   7. 언   8. 여   9. 상   10. 출

11 ☐과 — 수량이나 정도가 일정한 기준을 넘음.

12 미☐ — 수량이나 정도가 일정한 기준에 이르지 못함.

13 ☐대칭☐형 — 어떤 직선을 접었을 때 완전히 겹쳐지는 도형

14 물과☐ — 서로 너그럽게 받아들이지 못하거나 맞서는 상태

15 숭☐숭☐ — 연한 물건을 조금 큼직하고 거칠게 자꾸 빨리 써는 모양

16 ☐쓰듯 — 물건을 헤프게 쓰거나, 돈 따위를 마구 쓰며 낭비하다.

17 잘☐잘☐ — 작은 방울 따위가 자꾸 흔들리거나 부딪쳐 울리는 소리

18 주☐주☐ — 쑥스럽거나 부끄러워서 자꾸 주저하거나 머뭇거리는 모양

19 ☐동 — 두 개의 도형이 크기와 모양이 같아 서로 포개었을 때에 꼭 맞는 것

20 대☐ — 한 점이나 한 직선, 한 면을 사이에 두고 같은 거리에서 마주 보고 있는 일

정답   **11.** 초   **12.** 만   **13.** 선, 도   **14.** 불   **15.** 덩, 덩   **16.** 물   **17.** 랑, 랑   **18.** 뼛, 뼛   **19.** 합   **20.** 칭

5장 여러 가지 매체 자료

1 매체 자료

사람들은 여러 가지 매체 자료를 통해 다양한 내용을 주고받아요. 상황에 알맞은 매체 자료를 활용하면 보다 효과적으로 내용을 전달할 수 있어요.

✎ 빈칸에 알맞은 낱말을 쓰고, 매체 자료로 알맞은 것을 찾아 연결해 보세요.

• 잡지

1 이 ㅅ 매체 자료
글자나 그림 따위를 종이나
천 등에 찍어 냄.

• 영화

• 신문

2 ㅇ 사 매체 자료
텔레비전, 모니터 따위에
나타나는 모습

• 연속극

• 누리 소통망[SNS]

3 이 ㅌ ㄴ 매체 자료
전 세계의 컴퓨터가 정보를
교환할 수 있도록 연결된 것

• 휴대 전화 문자 메시지

2 뜻이 여러 가지인 말 내놓다

밑줄 친 낱말의 알맞은 뜻을 찾아 번호를 써 보세요.

내놓다	① 물건을 밖으로 옮기거나 꺼내 놓다.
	② 음식 따위를 대접하다.
	③ 작품이나 상품 따위를 발표하거나 선보이다.
	④ 생각이나 의견을 제시하다.

❶ 나는 친구들에게 새로운 계획을 <u>내놓았다</u>. ⇨ ☐

❷ 우리 집을 찾은 손님에게 다과를 <u>내놓았다</u>. ⇨ ☐

❸ 그 가수는 새로운 음반을 시장에 <u>내놓았다</u>. ⇨ ☐

❹ 음식을 시켜 먹고 나서 빈 그릇을 대문 밖에 <u>내놓았다</u>. ⇨ ☐

❺ 교육부는 학생들을 위한 여러 교육 정책을 <u>내놓고</u> 있다. ⇨ ☐

❻ 밖으로 <u>내놓은</u> 짐들이 사라져 이곳저곳을 살펴보고 있다. ⇨ ☐

❼ 최 작가는 이달에 세 번째 시집을 독자들에게 <u>내놓을</u> 예정이다. ⇨ ☐

3 꾸며 주는 말 잠자코

✏️ 밑줄 친 말을 한 낱말로 바꿔 써 보세요.

1 나는 거짓말을 해서 엄마에게 <u>아주 몹시</u> 혼이 났다. ⇨ | 되 | 퇴 |

2 오랜만에 만난 친구는 <u>전과 같이</u> 멋있었다. ⇨ | 여 | 전 | 히 |

3 착한 은호는 <u>여간하여서는</u> 화를 내는 법이 없다. ⇨ | 좀 | 처 | 럼 |

4 그에게 말을 걸기 위해 <u>거리가 멀지 않게</u> 다가갔다. ⇨ | 가 | 까 | 이 |

5 나는 그와 싸우기 싫어서 <u>아무 말 없이 가만히</u> 있었다. ⇨ | 잠 | 자 | 코 |

6 동생은 침대에 눕자마자 <u>바로 그 즉시에</u> 잠이 들었다. ⇨ | 곧 | 바 | 로 |

7 <u>확실하지 아니하지만 짐작하건대</u> 오늘 밤에 눈이 올지 몰라. ⇨ | 어 | 쩌 | 면 |

68

4 십자말풀이

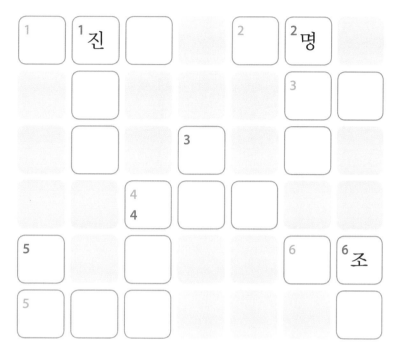

1. 환자의 몸 안에서 나는 소리를 듣는 데 쓰는 의료 기구

2. 어떤 내용이나 판단 따위가 진실인지 아닌지를 증거를 들어서 밝힘.

3. 드러나지 않은 사물이나 현상 따위를 찾아내거나 밝히기 위하여 살피어 찾음.

4. 개인의 사적인 일상생활

5. 구경하는 사람

6. 참고로 비교하고 대조하여 봄.

1. 의사가 환자를 진찰하는 방

2. 사건을 해결하는 능력이 뛰어나 이름이 널리 알려진 탐정

3. 생물이 물속에서 남. 또는 물속에서 삶.

4. 사냥하는 사람. 또는 사냥을 직업으로 하는 사람

5. 진리, 학문 따위를 파고들어 깊이 연구함.

6. 어떠한 사항이나 내용이 맞는지 관계되는 기관 등에 알아보는 일

⑤ 외래어 표기 콘텐츠

✏️ 다음 문장에서 외래어의 알맞은 표기를 찾아 ○표 하세요.

1 나는 상큼한 (레모네이드 / 레몬에이드)를 좋아한다.
레몬즙에 물, 설탕, 탄산 따위를 넣어 만든 음료

2 나는 사탕보다, 부드러운 (카라멜 / 캐러멜)이 더 좋다.

3 나는 야생 동물에 관한 (다큐멘터리 / 다큐멘타리)를 보았다.
실제로 있었던 일을 사실적으로 담은 영상물이나 기록물

4 유적지에서 발견된 (미라 / 미이라)가 박물관에 보관되고 있다.
썩지 않고 원래 상태에 가까운 모습으로
남아 있는 인간이나 동물의 사체

5 이번 (패션쇼 / 페션쇼)에서는 감각이 뛰어난 옷들이 많이 보였다.

6 우리 학교는 누리집을 통하여 다양한 교육 (컨텐츠 / 콘텐츠)를 제공하고 있다.
인터넷이나 컴퓨터 통신 등을 통하여
제공되는 각종 정보나 그 내용물

7 (피겨 스캐이팅 / 피겨 스케이팅) 선수들이 빙판 위에서 다양한 기술을 선보였다.

6 형태는 같은데 뜻이 다른 말 수치

✏️ 빈칸에 공통으로 들어갈 낱말을 써 보세요.

1 ㅅ ㅅ

① ☐☐ 이 끊긴 친구에게 반가운 연락이 왔다.
멀리 떨어져 있는 사람의 사정을 알리는 말이나 글

② 할아버지의 건강 비결은 ☐☐ 을 하는 것이다.
음식을 적게 먹음.

2 이 ㅈ

① 그는 마침내 자신의 ☐☐ 을 밝혔다.
지금 자기가 놓여 있는 처지

② 이어서 신랑의 ☐☐ 이 있겠습니다.
장소 안으로 들어감.

3 ㅅ ㅊ

① 나는 내가 저지른 실수에 대해 ☐☐ 를 느꼈다.
매우 부끄럽거나 스스로 떳떳하지 못한 일

② 우리는 실험 결과로 얻어 낸 ☐☐ 를 기록하였다.
계산하여 얻은 값

4 ㅈ 자

① 그녀는 우리 핸드볼 팀의 ☐☐ 을 맡고 있다.
운동 경기에서, 팀을 대표하는 선수

② 태수는 친구들에게 자신의 ☐☐ 을 끝까지 우겼다.
자기의 의견이나 이론

7 바꿔 쓸 수 있는 말 가엾다

✏️ 밑줄 친 낱말과 바꿔 쓸 수 있는 낱말을 [보기]에서 찾아 알맞게 활용하여 써 보세요.

<표 보기>
보기
끝맺다 딱하다 두렵다 딱딱하다 접근하다 상심하다 후련하다

1 이번 실수로 너무 실망하지 마라.
바라는 대로 되지 않아 섭섭해 하지
⇨ [   ]

2 밤에 사람이 없는 골목길을 지나는 것이 겁난다.
무서워하는 마음이 생긴다.
⇨ [   ]

3 친구들에게 나의 입장을 말하고 나니 속 시원하다.
답답한 마음이 풀려
흐뭇하고 가뿐하다.
⇨ [   ]

4 불길이 더욱 거세져 소방관들이 다가가기 어려웠다.
어떤 대상 쪽으로 가까이 가기
⇨ [   ]

5 새끼를 잃고 밥을 먹지 않는 어미 고양이가 가엾다.
마음이 아플 정도로
불쌍하다.
⇨ [   ]

6 나는 꼭 연락을 달라고 부탁하는 것으로 편지를 마쳤다.
하던 일이나 과정을
끝냈다.
⇨ [   ]

7 그는 항상 근엄한 표정을 하고 있어서 말을 걸기가 어렵다.
표정이나 태도가 신중하고 무거운
⇨ [   ]

8 기본형

낱말의 뜻을 알기 위해 국어사전을 찾으려면 낱말의 기본형으로 찾아야 해요. '기본형'은 형태가 바뀌는 낱말에서 기본이 되는 형태를 의미해요.

따라
따르니
따르고
：
활용형 → **따르다**
기본형

밑줄 친 낱말의 기본형을 빈칸에 써 보세요.

1 나는 인영이에게 약속 장소를 <u>일러</u> 주었다. ⇨ ☐

2 인터넷 게시판에 경준이를 칭찬하는 글이 <u>올랐다</u>. ⇨ ☐

3 동생은 형보다 나를 더 <u>따라</u> 내가 많이 놀아 준다. ⇨ ☐

4 내가 수진이의 전화번호를 <u>불러</u> 줄 테니 전화해 봐. ⇨ ☐

5 롤러코스터의 속도가 너무 <u>빨라</u> 눈을 제대로 뜰 수 없었다. ⇨ ☐

6 이 문제를 어떻게 풀어야 할지 <u>몰라</u> 선생님께 질문을 했다. ⇨ ☐

더 알아두기

'르'가 모음으로 시작하는 말 앞에서 'ㄹㄹ'로 변하는 경우가 있어요. 따르다'에 '어'가 붙으면 '따라'처럼 활용하지만 '부르다'는 '어'가 붙으면 '불러'처럼 활용해요.

9 잘못 쓰기 쉬운 말 터무니없다

✎ 밑줄 친 낱말을 바르게 고쳐 써 보세요.

1 어떻게 친구를 우렁할 수 있니?
사람을 어리석게 보고 함부로
대하거나 놀림.
⇨ _____

2 동생의 말도 안 되는 거짓말에 어의없다.
일이 너무 뜻밖이어서
기가 막히는 듯하다.
⇨ _____

3 나는 그 사진을 보고 놀라서 눈이 휘둥그래졌다.
⇨ _____

4 다른 사람의 물건을 함부로 쓰다니 얼투당투않다.
전혀 이치에 맞지 않다.
⇨ _____

5 동생은 내 말에 아무 댓꾸도 하지 않고 방을 나갔다.
남의 말에 반응하여 말을 하는 것
⇨ _____

6 그런 터무늬없는 말을 곧이곧대로 믿은 내가 잘못이다.
황당하고 전혀 근거가 없는
⇨ _____

7 오늘은 조용하나 했는데 왠걸, 아이들이 더욱 시끄럽게 떠들고 있다.
전혀 뜻밖의 일에 놀람을
나타내는 말
⇨ _____

10 낱말 퀴즈

✏️ 빈칸에 알맞은 낱말을 주어진 글자 카드로 만들어 써 보세요.

| 자 | 음 | 모 | 과 | 심 | 효 | 부 | 함 |

① 혜연이는 자신의 피아노 연주 실력에 대한 [   ]이 크다.

자기 자신의 가치나 능력을 믿고
당당히 여기는 마음

② 나는 억울하게 [   ]을 받아 다른 사람들의 눈총을 받았다.

나쁜 꾀로 남을 어려운 처지에 빠지게 함.

③ 공포스러운 장면에 꼭 들어맞는 [   ]이 더해져 더욱 무섭게 느껴졌다.

장면의 실감을 더하기 위하여 넣는 소리

| 공 | 마 | 사 | 녀 | 자 | 역 | 냥 | 격 |

④ 그녀는 이 모임에 들어올 [   ]이 없다.

일정한 신분이나 지위를 얻기 위해
필요한 조건이나 능력

⑤ 상대 선수가 방심한 틈을 타서 [   ]에 나섰다.

공격을 받던 편에서 거꾸로 맞받아 하는 공격

⑥ 그의 잘못을 부풀려서 말하는 것은 [   ]이 될 수 있다.

어떤 사람에게 없는 죄를 뒤집어씌우는
것을 비유적으로 이르는 말

✏️ 다음 그림에 알맞은 낱말을 [보기]에서 찾아 써 보세요.

보기

자격루 　　 측우기 　　 혼천의 　　 앙부일구

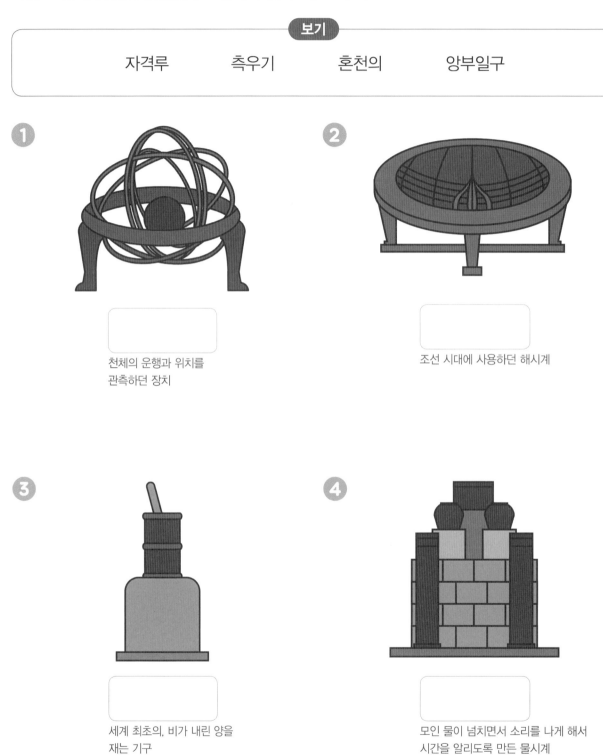

❶

천체의 운행과 위치를
관측하던 장치

❷

조선 시대에 사용하던 해시계

❸

세계 최초의, 비가 내린 양을
재는 기구

❹

모인 물이 넘치면서 소리를 나게 해서
시간을 알리도록 만든 물시계

✏️ **빈칸에 알맞은 낱말을 써서 문장을 완성해 보세요.**

1 제도의 [개][혁]을 통해 사회의 질서를 바로잡았다.
제도나 기구 따위를 새롭게 뜯어고침.

2 두 나라는 오랜 기간 [토][사]을 지속해 오고 있다.
나라들 사이에 서로 물건을 사고팖. 또는 그런 관계

3 그 범인은 주위 사람들의 [미][고]로 경찰에게 잡혔다.
남몰래 넌지시 일러바침.

4 다음 주에 각국의 대표들이 모여 [회][담]을 할 예정이다.
어떤 문제를 가지고 관련된 사람들이
한자리에 모여 하는 토의

5 탐관오리의 [횡][포]가 극심하여 백성들의 원성이 높아졌다.
제멋대로 굴며 몹시 난폭함.

6 고을 [수][령]은 굶주리는 백성들을 위해 쌀을 나눠 주었다.
각 고을을 맡아 다스리던 지방 관리

7 나라를 지키기 위해 전국 방방곡곡에서 [의][병]들이 일어섰다.
외적을 물리치기 위하여 백성들이 스스로 조직한 군대

다음 빈칸에 낱말을 넣어 문장을 완성하세요.

된통

아주 몹시

예 몸살이 나서 닷새 동안이나 [ ][ ] 앓았다.

주장

자기의 의견이나 이론

예 그는 자신의 [ ][ ] 을 끝까지 굽히지 않았다.

가엾다

마음이 아플 정도로 불쌍하다.

예 어린 나이에 세상을 떠난 아이가 무척 [ ][ ][ ].

참조

참고로 비교하고 대조하여 봄.

예 자세한 내용은 덧붙인 내용을 [ ][ ] 하시기 바랍니다.

내놓다

생각이나 의견을 제시하다.

예 그는 이번 연구를 통해 새로운 이론을 [ ][ ] 았다.

명탐정

사건을 해결하는 능력이 뛰어나 이름이 널리 알려진 탐정

예 [ ][ ][ ] 조차도 이 사건을 해결하지 못했다.

수치

매우 부끄럽거나 스스로 떳떳하지 못한 일

예 사람들 앞에서 [ ][ ] 를 당한 아이는 서럽게 울었다.

사생활

개인의 사적인 일상생활

예 가까운 사이라도 다른 사람의 [ ][ ][ ] 을 방해해서
는 안 된다.

근엄하다

표정이나 태도가 신중하고 무겁다.

예 그는 [ ][ ]한 표정으로 아이를 타일렀다.

역공

공격을 받던 편에서 거꾸로 맞받아 하는 공격

예 우리는 감독의 지시에 따라 [ ][ ]에 나섰다.

밀고

남몰래 넌지시 일러바침.

예 그 녀석의 [ ][ ]로 우리의 작전은 물거품이 되었다.

개혁

제도나 기구 따위를 새롭게 뜯어고침.

예 정부는 이번 위기를 [ ][ ]을 통해 극복하기로 했다.

모함

나쁜 꾀로 남을 어려운 처지에 빠지게 함.

예 그는 자신을 시기하는 무리들로부터 [ ][ ]을 당했다.

터무니없다

황당하고 전혀 근거가 없다.

예 동생이 나에게 [ ][ ][ ][ ]는 거짓말을 했다.

통상

나라들 사이에 서로 물건을 사고팖. 또는 그런 관계

예 이웃 나라가 우리나라에게 계속해서 [ ][ ]을 요구했다.

회담

어떤 문제를 가지고 관련된 사람들이 한자리에 모여 하는 토의

예 각국의 대표들이 세계 평화에 관한 [ ][ ]을 가졌다.

6장 타당성을 생각하며 토론해요

1 토론하기

다른 사람과 이야기를 나눌 때 의견이 엇갈리면 서로 근거를 들어 상대를 설득해야 해요. 이때, 근거로 제시하는 자료는 믿을 만해야 하고 출처가 정확해야 해요.

✏️ 다음은 토론에 대한 설명입니다. 빈칸에 알맞은 낱말을 [보기]에서 찾아 써 보세요.

```
┌──────────────────── 보기 ────────────────────┐
│                                              │
│   논제      대립      설득      주장      경쟁적   │
│                                              │
└──────────────────────────────────────────────┘
```

토론은 의견이 ❶[   ]하는 ❷[   ]를 두고 찬성과 반대 양측이 상대를 ❸[   ]하는 ❹[   ] 의사소통이에요. 토론의 목적은 참가자들의 ❺[   ]이 맞서면서 최선의 결론에 이르는 것이에요.

❶ 생각이나 의견, 입장이 서로 반대되거나 맞지 않음. ⇨ [   ]

❷ 토론이나 논의의 주제 ⇨ [   ]

❸ 잘 설명하거나 타일러서 이해시켜 따르게 함. ⇨ [   ]

❹ 이기거나 앞서려고 서로 겨루는. 또는 그런 것 ⇨ [   ]

❺ 자기의 의견이나 이론 ⇨ [   ]

2 주제별 어휘 토론

상대와 의견이 다를 때 토론을 하면 문제를 합리적으로 해결할 수 있어요. 토론을 할 때에는 타당한 근거를 들어 자신의 의견을 말해야 하고 상대의 의견을 경청해야 해요.

✏️ 빈칸에 알맞은 낱말을 [보기]에서 찾아 써 보세요.

보기

근거　　　반론　　　발언　　　자료　　　판정　　　타당성

① 찬성편은 반대편 주장에 대하여 [　　　] 을 제기했다.
　　다른 사람의 주장이나 의견에 반대하는 주장

② 이번 토론은 찬성편이 승리한 것으로 [　　　] 이 났다.
　　옳고 그름이나 좋고 나쁨을 구별하여 결정함.

③ 토론의 논제에서 벗어난 [　　　] 은 삼가 주시길 바랍니다.
　　말을 꺼내어 의견을 나타냄. 또는 그 말

④ 주장을 할 때에는 이를 뒷받침하는 충분한 [　　　] 가 있어야 한다.
　　어떤 일이나 의견 등에 그 근본이 됨. 또는 그런 까닭

⑤ 찬성편은 구체적인 [　　　] 를 제시하여 자신들의 주장을 뒷받침했다.
　　연구나 조사를 하는 데 기본이 되는 재료

⑥ 그의 주장은 [　　　] 이 부족했기 때문에 다른 이들의 동의를 얻지 못했다.
　　사물의 이치에 맞아 올바른 성질

3 띄어쓰기 수, 채

'수'나 '채' 따위처럼 의미가 형식적이어서 다른 말 아래에 기대어 쓰이는 말이 있어요. 이러한 말은 앞말과 띄어 써야 해요.

문제가 **생길✓수** 있다.

책을 **든✓채로** 잠이 들었다.

🖊 다음 문장을 주어진 횟수에 따라 바르게 띄어 써 보세요.

1 그의진심을알수가없다. (4회)

그	의															

2 손을깨끗이씻는수밖에없다. (4회)

손	을															

3 그녀는고개를숙인채말했다. (4회)

그	녀	는														

4 나는아침을거른채학교에갔다. (5회)

나	는																

5 일을하다보면실수할수도있다. (5회)

일	을																

6 그는옷을입은채로물에들어갔다. (5회)

그	는																

4 낱말 퀴즈

✏️ 밑줄 친 부분의 글자 순서를 바르게 고쳐 써 보세요.

16일

○ 월

○ 일

1 이 영화는 많은 <u>론가평</u>들부터 호평을 받았다.
평가하여 말하는 일을 전문으로 하는 사람

⇨ [　　　]

2 교내 <u>기표투인</u>에서 민준이가 일등을 차지했다.
투표를 통하여 인기의 순위를 정하는 일

⇨ [　　　]

3 몸이 아프고 보니 운동의 <u>요성필</u>을 절실히 느꼈다.
반드시 요구되는 성질

⇨ [　　　]

4 그는 남다른 <u>도력지</u>을 발휘하여 사람들을 이끌었다.
어떤 목적이나 방향으로 남을 가르쳐 이끌 수 있는 능력

⇨ [　　　]

5 일은 역시 그 분야의 <u>문전가</u>에게 맡기는 것이 좋다.
어떤 분야에 많은 지식과 경험을 가지고 있는 사람

⇨ [　　　]

6 혜윤이는 <u>임책감</u>이 강해 자신의 일을 남에게 미루지 않는다.
맡아서 해야 할 일이나 의무를 중히 여기는 마음

⇨ [　　　]

7 학생들 사이에 <u>감화위</u>을 느끼게 하는 행동은 하지 말아야
한다.
서로 어울리지 않고 어설픈 느낌

⇨ [　　　]

5 뜻을 더하는 말 –적

'–적'은 다른 말에 붙어 '그 성격을 띠는', '그에 관계된', '그 상태로 된'의 뜻을 더하는 말이에요.

✏ **밑줄 친 말을 한 낱말로 바꿔 써 보세요.**

① 그녀는 <u>실제적이고 자세한</u> 사례를 들어 설명했다.

② 그녀는 <u>예로부터 이어져 내려오는</u> 방법으로 술을 담갔다.

③ 어른들이 <u>본받아 배울 만한</u> 태도를 보이면 아이들이 따라 할 것이다.

④ 그는 자연재해로 <u>중간에 끼이는 것 없이 바로 관계된</u> 피해를 입었다.

⑤ 그녀는 <u>겉으로 나타나 보이는 모양을 위주로 하는</u> 절차대로 일을 진행했다.

⑥ 폭력적 장면이 많은 영화는 학생들에게 <u>바람직하지 못한</u> 영향을 줄 수 있다.

⑦ 이수는 서하의 의견에 대해 <u>옳고 그름을 밝히거나 잘못된 점을 지적하는</u> 태도를 보였다.

6 형태는 같은데 뜻이 다른 말 불법

🖊 빈칸에 공통으로 들어갈 낱말을 써 보세요.

1

ㅅ	ㅈ

① 점심을 건너뛰었더니 몹시 ☐☐했다.
　　　　　　　　　　　　　　　배가 고픔.

② ☐☐에 가서 반찬거리와 과일을 샀다.
여러 가지 상품을 사고파는 일정한 장소

2

부	ㅂ

① 스님이 중생들에게 ☐☐을 말하고 계신다.
　　　　　　　　　　　부처의 가르침

② 길가에 ☐☐ 주차된 차로 통행이 불편하다.
법에 어긋남.

3

ㄷ	ㅂ

① 언니는 밤늦게까지 시험 ☐☐에 힘을 쏟았다.
　　　　　　　　　　앞으로 일어날 수 있는 어떤 일에 대한 준비

② 두 가지를 ☐☐해 보고 마음에 드는 것을 골라라.
두 가지의 차이를 알아보기 위해 서로 비교함.

4

ㅇ	ㅅ

① ☐☐는 환자를 치료하기 위해 최선을 다했다.
병을 고치는 것을 직업으로 하는 사람

② 자신의 ☐☐를 분명하게 표현할 수 있어야 한다.
무엇을 하고자 하는 생각

7 뜻이 여러 가지인 말 번지다

✎ 밑줄 친 낱말의 알맞은 뜻을 찾아 번호를 써 보세요.

번지다
① 액체가 묻어서 차차 넓게 젖어 퍼지다.
② 병이나 불, 전쟁 따위가 차차 넓게 옮아가다.
③ 말이나 소리 따위가 널리 옮아 퍼지다.
④ 빛, 기미, 냄새 따위가 바탕에서 차차 넓게 나타나거나 퍼지다.

❶ 그녀의 입가에 엷은 웃음이 번졌다. ⇨ ☐

❷ 온 나라에 전염병이 번져 거리에 사람이 없다. ⇨ ☐

❸ 풀독이 몸 전체에 번진 상태여서 치료가 어렵다. ⇨ ☐

❹ 소민이에 대한 나쁜 소문이 학교 전체에 번졌다. ⇨ ☐

❺ 종이 위에 잉크가 번져 글씨가 잘 보이지 않는다. ⇨ ☐

❻ 돌부리에 걸려 넘어졌는데 바지 위로 피가 번졌다. ⇨ ☐

❼ 달콤한 케이크를 굽는 냄새가 온 집 안으로 번졌다. ⇨ ☐

8 성질이나 상태를 나타내는 말 뜻깊다

✏️ 밑줄 친 말을 한 낱말로 바꿔 써 보세요.

1 이렇게 <u>가치나 중요성이 큰</u> 자리에 초대해 주셔서 감사합니다.

➡️

2 이 공원은 우리 동네에 있는 <u>오직 하나밖에 없는</u> 공원이다.

➡️

3 이 도서관에는 <u>종류, 내용 등이 여러 가지로 많은</u> 책들이 있다.

➡️

4 오랜만에 듣는 노래가 <u>전과 달리 생생하고 산뜻하게 느껴지는 맛이 있다.</u>

➡️

5 그 말을 <u>바르지 못하고 조금 비뚤어지게</u> 생각할 필요는 없다.

➡️

6 이 표현은 <u>격식이나 규범, 관습 따위에 맞지 않아 자연스럽지 않다.</u>

➡️

7 이번 선거는 <u>한쪽으로 치우치지 않고 객관적이고 올바르게</u> 치러질 것입니다.

➡️

9 헷갈리기 쉬운 말 거치다/걷히다

✏️ 다음 문장에 어울리는 낱말을 찾아 ○표 하세요.

거치다	어떤 과정이나 단계를 겪거나 밟다.
걷히다	구름이나 안개 따위가 흩어져 없어지다.

1 안개가 (거치고 / 걷히고) 날이 점점 좋아졌다.

2 이 문제는 학급 회의를 (거쳐 / 걷혀) 해결하기로 하자.

3 학생들은 초등학교와 중학교를 (거쳐 / 걷혀) 고등학교에 입학한다.

세다	수를 헤아리거나 꼽다.
새다	틈이나 구멍으로 조금씩 빠져 나가거나 나오다.

4 이 공은 바람이 (세니 / 새니) 다른 공을 가져올게.

5 자율 학습을 신청한 학생의 수를 (세어 / 새어) 보았다.

6 도시락 통에서 김칫국이 (세서 / 새서) 가방에 물이 들었다.

7 돈이 얼마나 남았는지 지갑에서 지폐를 꺼내 (세어 / 새어) 보았다.

10 행동을 당하는 말 바뀌다

움직임을 나타내는 말에 '-이-, -히-, -리-, -기-'를 붙여 행동을 당하는 말로 바꿀 수 있어요.

사냥꾼이 노루를 **잡았다**. → 노루가 사냥꾼에게 **잡혔다**.

✎ 밑줄 친 낱말을 문장에 어울리도록 행동을 당하는 말로 바꿔 써 보세요.

1 일가친척이 큰집에 모두 모았다.   ⇨ ----------------

2 종혁이가 이번 학기 회장으로 뽑았다.   ⇨ ----------------

3 도로가 막아 차가 꼼짝도 하지 않는다.   ⇨ ----------------

4 형은 과학자에서 경찰로 꿈이 바꾸었다.   ⇨ ----------------

5 나는 다른 사람의 생각에 마구 휘둘렀다.   ⇨ ----------------

6 컴퓨터 게임에 소중한 시간을 빼앗고 말았다.   ⇨ ----------------

7 나는 맛있는 냄새에 이끌어 식당으로 들어갔다.   ⇨ ----------------

✏️ 빈칸에 알맞은 낱말을 써서 문장을 완성해 보세요.

① 토양의 성분을 [부][ㅅ]하여 보고서를 작성하였다.

물질의 성분, 구성 등을 따져서 밝힘.

② [ㅈ][ㅅ][야]의 색깔 변화를 통해 물질의 성질을 파악해 보았다.

화학 반응의 결과를 판별하는 약품

③ 가스 [ㄴ][추]은 큰 사고로 이어질 수 있으므로 항상 조심해야 한다.

액체나 기체 따위가 밖으로 새어 나옴.

④ 이 물건에 강한 [ㅊ][격]을 가하면 고장이 날 수 있으므로 주의하세요.

물체에 급격히 가하여 지는 힘

⑤ 사고를 예방하기 위해 도로 곳곳에 [아][ㅈ][자][ㅊ]가 설치되어 있습니다.

부주의로 인한 위험을 막기 위한 장치

⑥ [ㅈ][도][ㄱ][다] 위에서는 걷거나 뛰지 마시고 손잡이를 꼭 잡아 주십시오.

사람이나 화물이 자동적으로 위아래 층으로
오르내릴 수 있도록 만든 계단 모양의 장치

⑦ 우리 시에서는 환경 [ㅇ][여][ㅇ]을 철저히 관리하여 환경 오염을 줄일 것이다.

환경 오염의 원인이 되는 것

✏️ 빈칸에 알맞은 낱말을 글자 카드로 만들어 써 보세요.

점   진   병   동   제   엔   적

① 자전거 브레이크의 □□ 기능이 떨어져 수리를 맡겼다.
기계나 자동차 따위의 운동을 멈추게 함.

② 이 자동차는 □□ 의 힘이 좋아 오르막길도 가뿐하게 달린다.
열에너지, 전기 에너지 따위를 기계적인 힘으로 바꾸는 장치

③ □□ 에 담긴 용액을 시험지에 한두 방울씩 떨어뜨려 보았다.
약물이나 액즙 따위의 분량을 한 방울씩 떨어뜨려서 헤아리는 기구

✏️ 주어진 뜻을 참고하여 빈칸에 알맞은 글자를 써 보세요.

① ㉠ 위산이 너무 많아 발병한 증상들을 치료하는 약
   ㉡ 천 따위에 들어 있는 색소를 없애는 약품

② ㉠ 1시간을 단위로 하여 잰 속도
   ㉡ 속도의 크기. 또는 속도를 이루는 힘

다음 빈칸에 글자를 넣어 낱말을 완성하세요.

¹구☐적　　실제적이고 자세한

²논☐　　토론이나 논의의 주제

³☐사　　무엇을 하고자 하는 생각

⁴위☐감　　서로 어울리지 않고 어설픈 느낌

⁵직☐적　　중간에 끼이는 것 없이 바로 관계된

⁶☐언　　말을 꺼내어 의견을 나타냄. 또는 그 말

⁷비☐적　　옳고 그름을 밝히거나 잘못된 점을 지적하는

⁸설☐　　잘 설명하거나 타일러서 이해시켜 따르게 함.

⁹☐도력　　어떤 목적이나 방향으로 남을 가르쳐 이끌 수 있는 능력

¹⁰어☐하다　　격식이나 규범, 관습 따위에 맞지 않아 자연스럽지 않다.

정답　1. 체　2. 제　3. 의　4. 화　5. 접　6. 발　7. 판　8. 득　9. 지　10. 색

11 **☐다** — 수를 헤아리거나 꼽다.

12 **오염☐** — 환경 오염의 원인이 되는 것

13 **☐속** — 1시간을 단위로 하여 잰 속도

14 **충☐** — 물체에 급격히 가하여 지는 힘

15 **거☐다** — 어떤 과정이나 단계를 겪거나 밟다.

16 **분☐** — 물질의 성분, 구성 등을 따져서 밝힘.

17 **안☐장☐** — 부주의로 인한 위험을 막기 위한 장치

18 **걷☐다** — 구름이나 안개 따위가 흩어져 없어지다.

19 **☐동** — 기계나 자동차 따위의 운동을 멈추게 함.

20 **☐다** — 틈이나 구멍으로 조금씩 빠져 나가거나 나오다.

정답 11. 세   12. 원   13. 시   14. 격   15. 치   16. 석   17. 전, 치   18. 히   19. 제   20. 새

1 꾸며 주는 말 짐짓

✏ 빈칸에 알맞은 낱말을 [보기]에서 찾아 써 보세요.

보기

| 새삼 | 유독 | 줄곧 | 짐짓 | 단연코 | 모조리 | 쏜살같이 |

1 ☐ 선희에게만 행운이 자꾸 일어난다.
많은 것 가운데 홀로 두드러지게

2 나는 대영이의 노래 솜씨에 ☐ 놀랐다.
이전의 느낌이나 감정이 다시 새롭게

3 집 안에 있는 창문을 ☐ 열어 환기를 시켰다.
하나도 빠짐없이 모두

4 나는 겨울 방학 동안 ☐ 할머니 댁에서 지냈다.
끊임없이 계속

5 늘 그랬듯이 달리기 시합에서 1등을 한 것은 ☐ 민기였다.
확실히 단정할 만하게

6 현관을 열자 우리 집 강아지가 ☐ 달려 나와 나에게 안겼다.
쏜 화살과 같이 매우 빠르게

7 채희는 자신이 상 받는 것을 미리 알았지만 ☐ 놀라는 표정을 지었다.
마음과 다르게 일부러

2 잘못 쓰기 쉬운 말 －이, －히

✏️ 밑줄 친 부분에 '이'나 '히'를 넣어 문장에 알맞은 낱말을 써 보세요.

1 오래된 한옥이 굉장 ? 멋스럽다.
아주 크고 훌륭하게
⇨

2 날이 추워서 옷을 겹겹 ? 껴입었다.
여러 겹으로
⇨

3 나는 단짝에게 내 고민을 솔직 ? 털어놓았다.
거짓이나 숨김이 없이 바르고 곧게
⇨

4 누나가 고장이 난 가방을 멀쩡 ? 고쳐 주었다.
흠이 없고 아주 온전한 상태로
⇨

5 허리를 꼿꼿 ? 세우고 앉아야 바른 자세가 된다.
휘거나 구부러지지 아니하고 곧게
⇨

6 그는 무슨 고민이 있는지 나직 ? 한숨을 쉬었다.
소리가 꽤 낮게
⇨

7 내가 먼저 사과를 했는데도 그는 여전 ? 화를 냈다.
전과 같이
⇨

8 모르는 부분을 반복해서 공부했더니 완전 ? 이해되었다.
모두 갖추어져 모자람이나 흠이 없이
⇨

95

3 형태는 같은데 뜻이 다른 말 고개

✏️ 빈칸에 공통으로 들어갈 낱말을 써 보세요.

1 ㅅ

① 할머니 댁은 자고 가는 □이 많아 언제나 북적거린다.
다른 곳에서 찾아온 사람

② □을 깨끗이 씻는 것만으로도 많은 질병을 예방할 수 있다.
사람의 팔목 끝에 달린 부분

2 ㅌ

① 배우들이 온갖 동물의 □을 뒤집어쓰고 공연을 한다.
나무, 종이, 따위로 만들어 얼굴에 쓰는 물건

② 모두의 노력으로 별 □ 없이 학교 행사를 마치게 되었다.
뜻밖에 일어난 걱정할 만한 사고

3 ㄱㄱ

① 가파른 □□를 넘고 나니 한동안 평지가 이어졌다.
산이나 언덕을 넘어 다니도록 길이 나 있는 곳

② 나는 □□를 뒤로 젖히고 하늘에 뜬 별을 바라보았다.
목의 뒷등이 되는 부분

4 ㅊㄱ

① □□가 되는 것보다 최선을 다하는 것이 더 중요하다.
으뜸인 것. 또는 으뜸이 될 만한 것

② 직지심체요절은 세계 □□의 금속 활자로 인쇄된 책이다.
가장 오래됨.

4 흉내 내는 말 가닥가닥

✏️ **밑줄 친 부분의 글자 순서를 바르게 고쳐 써 보세요.**

① 언니는 티셔츠를 서랍에 **곡곡차차** 넣었다.
  물건을 가지런히 겹쳐 쌓거나
  포개는 모양

⇨

② 약속 시간에 늦을까 봐 **둥둥허지** 집을 나섰다.
  이리저리 헤매며 다급하게
  서두르는 모양

⇨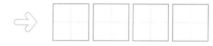

③ 주방장은 양파 껍질을 **렁훌훌렁** 벗기고 있었다.
  속이 시원하게 드러나도록 완전히
  벗어지거나 뒤집히는 모양

⇨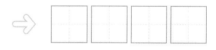

④ 화단에 다양한 꽃들이 **달록알록** 예쁘게 피었다.
  여러 가지 밝은 빛깔의 무늬나 얼룩
  따위가 고르지 않게 있는 모양

⇨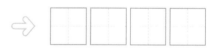

⑤ 찌개가 **글글부부** 끓는 것을 보니 입맛이 당겼다.
  많은 양의 액체가 야단스럽게 잇따라 끓는 소리. 또는 모양

⇨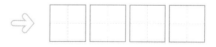

⑥ 언니가 내 머리를 **닥가닥가** 나누어 땋아 주었다.
  여러 가닥으로 갈라진 모양

⇨

⑦ 주인장은 수조에서 횟감을 **찰찰방방** 건져 올렸다.
  조금 묵직한 물체가 물에
  자꾸 거칠게 부딪치는 소리

⇨

5 주제별 어휘 옛 물건

✏️ 다음 그림에 알맞은 낱말을 [보기]에서 찾아 써 보세요.

보기

요강   망태기   표주박   반짇고리

1

방에 두고 오줌을 누는 그릇

2

물건을 담아 들거나 어깨에 메고
다닐 수 있도록 만든 그릇

3

조롱박이나 둥근 박을 반으로 쪼개어
만든 작은 바가지

4

바늘, 실, 골무, 헝겊 따위의 바느질
도구를 담는 그릇

6 뜻이 반대인 말 건조하다/습하다

✏ 밑줄 친 낱말의 기본형을 쓰고, 뜻이 반대인 낱말을 [보기]에서 찾아 써 보세요.

> **보기**
>
> 밝다   습하다   연하다   대단찮다   악화되다   익숙하다

① 그는 귀가 어두워서 보청기를 낀다.

⇨ 어둡다 ⇄ ⬚

귀가 잘 들리지 아니하다.

② 실내가 너무 건조해서 목이 칼칼하다.

⇨ ⬚ ⇄ ⬚

말라서 습기가 없다.

③ 이 종이는 질겨서 잘 찢어지지 않는다.

⇨ ⬚ ⇄ ⬚

물건이 쉽게 해지거나 끊어지지
아니하고 견디는 힘이 세다.

④ 의사의 말을 잘 따랐더니 금방 호전되었다.

⇨ ⬚ ⇄ ⬚

병의 증세가 나아지게 되다.

⑤ 그는 대단한 일을 하느라 온 힘을 다 쏟았다.

⇨ ⬚ ⇄ ⬚

아주 중요하다.

⑥ 이사 온 지 얼마 안 돼서 집 안의 모든 게 낯설게 느껴진다.

⇨ ⬚ ⇄ ⬚

사물이 눈에 익지 아니하다.

7 성질이나 상태를 나타내는 말 꼼하다

✏️ 밑줄 친 말을 한 낱말로 바꿔 써 보세요.

1 그는 <u>성격이나 행동이 철저하고 까다로운</u> 부모님의
가르침으로 바르게 자랐다.

⇨  | 엄 | 한 |

2 시영이는 원래 <u>마음이 좁고 너그럽지 못해서</u> 곧잘
삐친다.

⇨  | 꼬 | 장 | 서 |

3 언니는 <u>자극에 대한 반응이나 감각이 지나치게 날카
로워서</u> 잠에서 자주 깼다.

⇨  | 예 | 민 | 해 | 서 |

4 민희가 나를 쏘아보는 눈초리가 아주 <u>겁이 날 만큼
사나웠다.</u>

⇨  | 매 | 서 | 웠 | 다 |

5 그녀는 성격이 <u>까다로울 만큼 빈틈이 없어서</u> 모든
일을 완벽하게 한다.

⇨  | 꼼 | 꼼 | 해 | 서 |

6 <u>남을 괜히 미워하고 괴롭히려고 하는 짓궂은</u> 준범이
는 다른 아이들을 못살게 군다.

⇨ 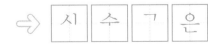 | 심 | 술 | 궂 | 은 |

8 바꿔 쓸 수 있는 말 역력하다

✏️ 밑줄 친 낱말과 바꿔 쓸 수 있는 낱말을 [보기]에서 찾아 알맞게 활용하여 써 보세요.

보기

쓰리다	기절하다	나란하다	노력하다	분명하다	수정하다

1 그 아이만 생각하면 내 가슴이 아릿하다.
조금 고통스러운 느낌이 있다.

⇨

2 그는 그녀의 마음을 얻기 위해 애썼다.
마음과 힘을 다하여 무엇을
이루려고 힘썼다.

⇨

3 나는 그 소문을 듣고 놀라 까무러칠 뻔했다.
얼마 동안 정신을 잃고 죽은 사람처럼 될

⇨

4 이 건물은 부실 공사를 한 흔적이 역력하다.
감정이나 모습, 기억 따위가 환히
알 수 있게 또렷하다.

⇨

5 이 두 길은 평행하게 이어지다가 다시 만난다.
나란히 가게

⇨

6 그는 과제를 내기 전에 맞춤법을 꼼꼼하게 손보았다.
흠이 없도록 잘
매만지고 고쳤다.

⇨

9 합쳐진 말 볼주머니

✏️ 낱말 카드를 왼쪽에서 하나, 오른쪽에서 하나씩 꺼내 뜻에 알맞은 낱말을 만들어 보세요.

볼	잎	차
가오리	재	벼루

주머니	상	차례
물	연	집

1 잎이 줄기에 배열되어 있는 모양 ⇨ ▢

2 짚이나 나무를 태운 재를 우려낸 물 ⇨ ▢

3 차를 마실 때에 찻잔을 올려놓는 상 ⇨ ▢

4 가오리 모양으로 만들어 꼬리를 길게 단 연 ⇨ ▢

5 벼루, 먹, 붓, 연적 따위를 넣어 두는 납작한 상자 ⇨ ▢

6 다람쥐나 원숭이 따위의 볼 안에 있는, 먹이를 저장하는 주머니 ⇨ ▢

더 알아두기

합쳐진 말을 이루는 낱말 중 적어도 하나가 순우리말일 때에, 원래에는 없었던 된소리가 나거나 'ㄴ' 소리가 덧나면 사이시옷을 받쳐 적어요. 단, 뒤에 된소리나 거센소리로 시작하는 말이 오면 사이시옷을 쓰지 않아요.

10 한자어 고난도

✏️ 밑줄 친 낱말에 공통으로 쓰인 한자를 찾아 ○표 하세요.

1

그는 <u>고난</u>도 기술을 선보였다.
어려움의 정도가 매우 큼. 또는 그런 것

소음은 <u>난청</u>의 원인이 될 수 있다.
청력이 저하 또는 손실된 상태

모두가 힘을 합쳐 <u>난관</u>을 극복했다.
일을 하면서 부딪치는 고비

① 暖
따뜻할 난

② 卵
알 난

③ 難
어려울 난

④ 亂
어지러울 난

2

상처가 난 부분에 <u>염증</u>이 생겼다.
몸의 일부분이 붓고 곪는 것

마취에서 깨어나니 심한 <u>통증</u>이 느껴졌다.
아픔

밥을 먹고 나서 <u>체증</u>이 생겨 소화제를 먹었다.
먹은 음식이 잘 소화되지 아니하는 것

① 增
더할 증

② 症
증세 증

③ 證
증거 증

④ 曾
일찍 증

3

그는 천재적인 <u>예술가</u>이다.
예술을 직업으로 하는 사람

<u>건축가</u>는 벽돌로 집을 지었다.
건축 기술을 가진 사람

<u>무용가</u>는 무대 위에서 멋진 춤 동작을 선보였다.
무용을 전문적으로 하는 사람

① 可
옳을 가

② 加
더할 가

③ 價
값 가

④ 家
집 가

11 올바른 발음 붉다[북따]

✏️ 밑줄 친 낱말의 알맞은 발음을 찾아 ○표 하세요.

1 내 동생은 <u>여덟</u> 살이다. ⇨ [여덜] [여덥]

2 이 책은 두께가 매우 <u>얇다</u>. ⇨ [얄:따] [얍:따]

3 감이 덜 익었는지 맛이 <u>떫다</u>. ⇨ [떨:따] [떱:따]

4 우리 오빠는 얼굴이 <u>넓둥글다</u>. ⇨ [널뚱글다] [넙뚱글다]

5 그는 손이 두툼하고 <u>넓적하다</u>. ⇨ [널쩌카다] [넙쩌카다]

6 실수로 다른 사람의 발을 <u>밟다</u>. ⇨ [발:따] [밥:따]

7 토끼는 앞다리가 뒷다리보다 <u>짧다</u>. ⇨ [짤따] [짭따]

알아두기

겹받침 'ᆲ'이 말의 끝이나 자음자 앞에 올 때에는 [ㄹ]로 발음돼요. 하지만 '밟'이 자음자 앞에 올 때에는 [밥]으로 발음되고, '넓적하다'와 '넓둥글다'는 '넓'이 [넙]으로 발음되지요.

12 낱말 퀴즈

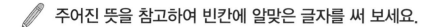

주어진 뜻을 참고하여 빈칸에 알맞은 글자를 써 보세요.

1 ㉠ 상식으로는 생각할 수 없는 기이한 일
㉡ 누가 있을 줄을 짐작하게 하는 소리나 표시

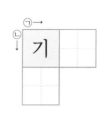

2 ㉠ 일을 해 나가는 데에 방해되는 장애물을 비유적
으로 이르는 말
㉡ 매우 훌륭한 작품

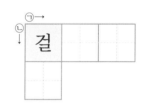

3 ㉠ 얼굴, 머리, 옷차림 따위를 곱게 꾸밈.
㉡ 죽은 사람을 땅에 묻거나 화장하기까지의 의식

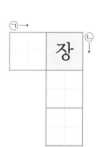

4 ㉠ 다른 것을 모방하지 않고 처음으로 만들어 내는.
또는 그런 것
㉡ 책, 신문, 잡지 따위의 글을 읽는 사람

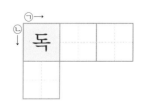

13 뜻이 여러 가지인 말 삼다

✏️ 밑줄 친 낱말의 알맞은 뜻을 찾아 그 번호를 써 보세요.

삼다
① 어떤 사람을 자기와 관계있는 사람으로 만들다.
② 무엇을 어떤 일의 수단이나 근거로 이용하다.
③ 무엇을 무엇으로 가정하다.

1 진욱이는 위기를 기회로 삼았다. ⇨ ☐

2 그녀는 친구의 아들을 사위로 삼았다. ⇨ ☐

3 그는 아들을 친구 삼아 이야기를 나누곤 한다. ⇨ ☐

간추리다
① 흐트러진 것을 가지런히 바로잡다.
② 글 따위에서 중요한 점만을 골라 간략하게 정리하다.

4 나는 책상 위의 책들을 간추려 가방 안에 넣었다. ⇨ ☐

5 내가 읽은 책의 내용을 간추려 보면 다음과 같다. ⇨ ☐

가로지르다
① 양쪽 사이에 기다란 막대나 줄 따위를 가로로 놓거나 꽂다.
② 어떤 곳을 가로 등의 방향으로 질러서 지나다.

6 나는 공원을 가로질러 학교에 간다. ⇨ ☐

7 그는 가족들이 모두 집에 들어오자 대문에 빗장을 가로질렀다. ⇨ ☐

14 헷갈리기 쉬운 말 메기다/매기다

✏️ 주어진 뜻을 참고하여 문장에 어울리는 낱말을 찾아 ○표 하세요.

바라다	생각이나 바람대로 어떤 일이 이루어지기를 기대하다.
바래다	볕이나 습기를 받아 색이 변하다.

1 오래 신은 운동화가 흐릿하게 색이 (바랐다 / 바랬다).

2 요행을 (바라지 / 바래지) 말고 매 순간 최선을 다해라.

3 누렇게 (바란 / 바랜) 벽지를 뜯어내고 페인트칠을 했다.

4 그녀는 부모님이 건강하게 오래오래 사시기를 (바랐다 / 바랬다).

메기다	두 편이 노래를 주고받고 할 때 한편이 먼저 부르다.
매기다	일정한 기준에 따라 사물의 값이나 등수 따위를 정하다.

5 상인은 상품의 품질에 따라 값을 (메겼다 / 매겼다).

6 그들이 앞소리를 (메기고 / 매기고) 우리가 뒷소리를 이었다.

7 선생님께서 시험 성적으로 아이들의 등수를 (메기고 / 매기고) 계신다.

107

✏️ 빈칸에 알맞은 낱말을 써서 문장을 완성해 보세요.

1 사람은 [양][심]에 따라 올바른 행동을 해야 한다.

사물이나 자신의 행위에 대해 옳고 그름의
판단을 내리는 도덕적 의식

2 그녀는 불평등한 법 [개][정]을 위해 평생을 힘썼다.

주로 문서의 내용 따위를 고쳐 바르게 함.

3 불공정한 판정을 내린 심판에게 관중들은 [야][유]를 보냈다.

남을 비웃으며 놀림. 또는 그런 말이나 몸짓

4 위기 상황일수록 [이][성]을 잃지 말고 올바른 판단을 해야 한다.

올바른 지식과 가치를 통해 논리적으로
생각하고 판단하는 능력

5 제자들은 스승의 [가][르][침]을 마음속에 깊이 새기고 실천했다.

도리나 지식, 사상, 기술 따위를 알게 함.
또는 그 내용

6 나는 내 능력의 [한][계]를 넘어서는 도전을 해 보기로 결심했다.

사물이나 능력, 책임 따위가 실제로
영향을 미칠 수 있는 범위

7 나는 남의 의견에 휘둘리지 않고 나의 [신][념]대로 행동할 것이다.

굳게 믿는 마음

✏️ 빈칸에 알맞은 낱말을 글자 카드로 만들어 써 보세요.

| 관 | 억 | 무 | 대 | 심 | 압 | 변 |

1 그들은 마침내 모든 [   ]에서 벗어나 자유를 되찾았다.
자유롭게 행동하지 못하도록 억지로 억누름.

2 우리 사회에는 사람들의 [   ] 속에 살고 있는 이들이 많다.
관심이나 흥미가 없음.

3 그는 억울한 사람들의 목소리를 [   ]하고 그들로부터 존경을 받았다.
대신하여 의견이나 태도를 나타냄. 또는 그런 일

| 애 | 지 | 제 | 결 | 위 | 형 | 실 |

4 사람은 [   ]가 높아질수록 더 겸손해져야 한다.
사회적 신분에 따른 계급이나 위치

5 그들은 [   ]가 남달라 항상 서로를 먼저 챙겼다.
형제 사이의 사랑

6 그는 공부를 시작한 지 3년 만에 노력의 [   ]을 맺었다.
일의 결과가 잘 맺어짐. 또는 그런 성과

다음 빈칸에 낱말을 넣어 문장을 완성하세요.

엄하다

성격이나 행동이 철저하고 까다롭다.

例 우리 집안은 가정 교육이 매우 ☐☐☐.

유독

많은 것 가운데 홀로 두드러지게

例 형제들 중에서 ☐☐ 셋째만 키가 작다.

낯설다

사물이 눈에 익지 아니하다.

例 새로운 도시의 풍경은 모든 것이 ☐☐었다.

호전되다

병의 증세가 나아지게 되다.

例 그는 수술을 하고 나서 몸이 많이 ☐☐☐었다.

멀쩡히

흠이 없고 아주 온전한 상태로

例 ☐☐☐ 잘 놀던 아이가 갑자기 울음을 터뜨렸다.

가닥가닥

여러 가닥으로 갈라진 모양

例 색실을 ☐☐☐☐ 꼬아 실 팔찌를 만들었다.

짐짓

마음과 다르게 일부러

例 나는 비밀을 지키려고 그 일을 ☐☐ 모른 척했다.

허둥지둥

이리저리 헤매며 다급하게 서두르는 모양

例 손님이 몰려들자 식당 주인은 ☐☐☐☐ 주문을 받았다.

아릿하다

조금 고통스러운 느낌이 있다.

⑩ 떡볶이가 너무 매워서 혀끝이 ☐☐☐☐.

억압

자유롭게 행동하지 못하도록 억지로 억누름.

⑩ 나는 다른 사람의 간섭과 ☐☐을 참을 수 없다.

신념

굳게 믿는 마음

⑩ 나는 어떤 상황에서도 내 ☐☐만은 지킬 것이다.

대변

대신하여 의견이나 태도를 나타냄. 또는 그런 일

⑩ 국회 의원은 국민의 뜻을 ☐☐하는 사람이다.

난관

일을 하면서 부딪치는 고비

⑩ 여럿이 힘을 합치면 어떠한 ☐☐도 이겨 낼 수 있다.

매기다

일정한 기준에 따라 사물의 값이나 등수 따위를 정하다.

⑩ 카페 주인은 새로운 메뉴에 적당한 가격을 ☐겼다.

난청

청력이 저하 또는 손실된 상태

⑩ 시끄러운 소리를 오랫동안 들으면 ☐☐이 생길 수 있다.

역력하다

감정이나 모습, 기억 따위가 환히 알 수 있게 또렷하다.

⑩ 집 안에 누군가가 들어온 흔적이 ☐☐☐☐.

8장 우리말 지킴이

1 문장 호응

밑줄 친 말을 바르게 고쳐 써 보세요.

1

이 옷은 다 <u>팔리셨습니다</u>.

➡ -------------------

2

손님, 영수증 <u>받으실게요</u>.

➡ -------------------

3

고양이가 정말 <u>귀여우시네요</u>.

➡ -------------------

4

이 엘리베이터는 고장이 <u>나셨습니다</u>.

➡ -------------------

5

손님, 주문하신 오렌지 주스 <u>나오셨습니다</u>.

➡ -------------------

2 합쳐진 말 가자미눈

✏️ 낱말 카드를 왼쪽에서 하나, 오른쪽에서 하나 꺼내 빈칸에 알맞은 낱말을 만들어 써 보세요.

월
일

1 그는 아침마다 [   ] 을 만들어 먹는다.
고기나 나물에 양념을 넣어 비벼 먹는 밥

2 오빠는 [   ] 을 보고 웃느라 정신이 없다.
만화를 그려 엮은 책

3 [   ] 을 바르게 사용하려는 노력을 해야 한다.
우리나라 사람의 말

4 이 작품은 [   ] 을 축으로 하여 대칭을 이루고 있다.
위에서 아래로 내려 그은 줄

5 동생은 심통이 났는지 누나를 [   ] 으로 노려보았다.
화가 나서 옆으로 흘겨보는 눈을
가자미의 눈에 비유하여 이르는 말

6 서영이와 재희는 [   ] 이 붙어 교실을 소란스럽게 했다.
말로 옳고 그름을 가리는 다툼

3 형태는 같은데 뜻이 다른 말 말다

✏️ 밑줄 친 낱말의 뜻으로 알맞은 것을 찾아 기호를 써 보세요.

> ㉠ **말다**¹ 넓적한 물건을 돌돌 감아 원통형으로 겹치게 하다.
> ㉡ **말다**² 밥이나 국수 따위를 물이나 국물에 넣어서 풀다.
> ㉢ **말다**³ 어떤 일이나 행동을 하지 않거나 그만두다.

1 내 걱정은 <u>말고</u> 너나 잘해라. ⇨ ☐

2 저를 믿고 그런 염려는 <u>마세요</u>. ⇨ ☐

3 할머니께서 국수를 <u>말아</u> 주셨다. ⇨ ☐

4 침낭을 <u>말아</u> 방 한쪽에 놓아두었다. ⇨ ☐

5 마당에 있는 멍석을 둘둘 <u>말아</u> 놓았다. ⇨ ☐

6 미역국에 밥을 <u>말아</u> 김치를 올려 먹었다. ⇨ ☐

7 잡다한 생각은 <u>말고</u> 지금 하는 일에 집중해라. ⇨ ☐

㉠ **바르다**[1] 풀칠한 종이나 헝겊 따위를 다른 물건의 표면에 고루 붙이다.
㉡ **바르다**[2] 껍질을 벗기어 속에 있는 알맹이를 집어내다.
㉢ **바르다**[3] 겉으로 보기에 비뚤어지거나 굽은 데가 없다.

8 옛날에는 방문에 창호지를 <u>발랐다</u>. ⇨

9 의자에 <u>바르게</u> 앉는 습관을 길러야 한다. ⇨

10 아이들이 강당에 모여 줄을 <u>바르게</u> 섰다. ⇨

11 예쁜 색의 벽지를 <u>바르니</u> 방이 화사해졌다. ⇨

12 밤송이에서 밤을 <u>발라</u> 밤 조림을 만들었다. ⇨

13 나는 현관에 놓인 신발을 <u>바르게</u> 정리하였다. ⇨

14 씨를 <u>바른</u> 고추를 햇볕에 잘 말려 곱게 빻았다. ⇨

4 잘못 쓰기 쉬운 말 건네다

✏️ 문장에 알맞은 낱말을 찾아 ○표 하세요.

1 나는 종종 (편이점 / 편의점)에서 간식을 사 먹는다.
하루 24시간 문을 열고 생활필수품 따위를 파는 가게

2 이 숙소는 (반려동물 / 발려동물)과 함께 이용할 수 있다.
사람이 정서적으로 의지하고자 가까이 두고 기르는 동물

3 (뒤자리 / 뒷자리)에 앉은 아이들이 시끄럽게 떠들고 있다.
뒤쪽에 있는 자리

4 세정이는 밝은 목소리로 나에게 인사를 (건넸다 / 건냈다).
남에게 말을 붙였다.

5 물건을 사고 나서 (거슬음돈 / 거스름돈)과 영수증을 받았다.
거슬러 주거나 받는 돈

6 나는 (괜스레 / 괜스래) 심통이 나서 동생에게 짜증을 부렸다.
까닭이나 실속이 없는 데가 있게

7 희선이는 자신을 놀리는 대영이를 향해 눈을 (흘겼다 / 훑겼다).
눈동자를 옆으로 굴리어 못마땅하게 노려보았다.

5 한자어 근(近)

한자 '近(근)'은 '가깝다'의 뜻을 가지고 있어요. 한자의 뜻을 알고 있으면 모르는 낱말이라도 그 의미를 짐작해 볼 수 있어요.

✎ 빈칸에 알맞은 낱말을 [보기]에서 찾아 써 보세요.

보기

근시   근처   원근   접근   측근   최근   근사치

1 우리 삼촌은 [　　　]에 결혼을 하셨다.
바로 얼마 전

2 나는 [　　　]여서 안경을 쓰고 생활한다.
먼 데 있는 것을 선명하게 보지 못하는 시력

3 우리 집 [　　　]에는 은행나무가 많이 있다.
가까운 곳

4 이곳은 일반인의 [　　　]이 금지된 구역이다.
가까이 다가감.

5 민 회장은 이 사실을 [　　　]들에게만 알렸다.
곁에서 가까이 모시는 사람

6 우리는 아쉬운 대로 정확한 값 대신 [　　　]을 구했다.
본래 구하고자 하는 수의 값에 가까운 값

7 많은 사람들이 공연을 보기 위해 [　　　]에서 찾아왔다.
멀고 가까운 곳

6 바꿔 쓸 수 있는 말 마땅하다

✎ 밑줄 친 낱말과 바꿔 쓸 수 있는 낱말을 써 보세요.

1 <u>지나친</u> 스트레스는 건강에 좋지 않다.
정도가 심한

⇨ | ㄱ | ㄷ | 한 |

2 우리말은 우리 스스로가 <u>보존해야</u> 한다.
잘 보호하고 간수하여 남겨야

⇨ | ㅈ | ㅋ | 야 |

3 부모는 아이의 <u>잘못된</u> 행동을 고쳐 주어야 한다.
옳지 못하게 되거나 나쁘게 되는

⇨ | ㄱ | ㄹ | 된 |

4 밥을 적게 먹었더니 <u>배고프다</u>.
배 속이 비어서 음식이 먹고 싶다.

⇨ | ㅅ | ㅈ | ㅎ | 다 |

5 엄마에게 용돈을 올려 달라고 <u>요청했다</u>.
필요한 어떤 일이나 행동을 청했다.

⇨ | ㅇ | ㄱ | 했 | 다 |

6 잘못을 했으면 사과를 하는 것이 <u>마땅하다</u>.
그렇게 하거나 되는 것이
이치로 보아 옳다.

⇨ | 다 | ㅇ | 하 | 다 |

7 내일부터 아침에 일찍 일어나기로 <u>다짐했다</u>.
마음을 굳게 먹고
뜻을 정했다.

⇨ | 매 | ㅅ | 했 | 다 |

7 움직임을 나타내는 말 토라지다

✏️ 밑줄 친 낱말을 따라 쓰고, 그 뜻으로 알맞은 것을 찾아 번호를 써 보세요.

1 그녀는 도자기에 여러 가지 문양을 새 겼 다 . (   )

① 글씨나 그림 따위를 팠다.
② 쓰러지거나 빠지지 않게 박아 세우거나 끼웠다.

2 브라질에서 수 입 된 이 커피는 향이 매우 좋다. (   )

① 다른 나라로부터 상품이나 기술 따위가 사들여진
② 사람이 생활하는 데 필요한 각종 물건이 만들어진

3 승희는 토 라 진 은지의 마음을 풀기 위해 노력했다. (   )

① 마음이 편하지 않고 조마조마한
② 마음에 들지 않고 뒤틀리어서 싹 돌아선

4 선생님의 갑작스러운 질문에 나는 몹시 당 황 했 다 . (   )

① 놀라거나 다급하여 어찌할 바를 몰랐다.
② 어떤 자극을 받아 감정이 북받쳐 일어나게 되었다.

5 건강을 위해 기름진 음식의 섭취를 자 제 해 야 한다. (   )

① 자기의 감정이나 욕망을 스스로 억눌러야
② 사람이나 물건을 목적한 장소나 방향으로 이끌어야

6 우리 회사는 제품의 선호도를 조 사 하 고 있다. (   )

① 일 따위의 차례나 승부를 바꾸고
② 사물의 내용을 명확히 알기 위해 자세히 살펴보거나 찾아보고

8 쓰임을 바꾸는 말 -이

'-이'는 다른 말의 뒤에 붙어 꾸며 주는 말을 만드는 말이에요. '깊숙하다'의 '깊숙-'에 '-이'가 붙으면 '깊숙이'라는 꾸며 주는 말이 돼요.

물이 **깊숙하다**.	물 **깊숙이** 들어가다.
성질이나 상태를 나타내는 말	꾸며 주는 말

✎ 주어진 낱말을 문장에 알맞게 써 보세요.

1 수북하다 ⇨ 거리에 낙엽이 [   ] 쌓여 있다.

쌓이거나 담긴 물건 따위가 불룩하게 많이

2 깊숙하다 ⇨ 그는 겁도 없이 산 [   ] 들어갔다.

위에서 밑바닥까지, 또는 겉에서 속까지의 거리가 멀게

3 끔찍하다 ⇨ 그는 자신의 부모님을 [   ] 모셨다.

정성이나 성의가 몹시 대단하게

4 많다 ⇨ 현태는 [   ] 아팠던지 살이 쏙 빠졌다.

수효나 분량, 정도 따위가 일정한 기준보다 넘게

5 높다 ⇨ 새장을 벗어난 새가 하늘 [   ] 날아간다.

아래에서부터 위까지 벌어진 사이가 크게

6 자욱하다 ⇨ 호수에 안개가 [   ] 낀 모습이 아름답다.

연개나 안개 따위가 잔뜩 끼어 흐릿하게

120

9 올바른 발음 영향[영ː향]

✏️ 밑줄 친 낱말의 알맞은 발음을 찾아 ○표 하세요.

1 친구로부터 <u>전화</u>가 왔다. ⇨ [저놔] [전ː화]

2 그는 제주도가 <u>고향</u>이다. ⇨ [고향] [고양]

3 그들은 작년에 <u>결혼</u>을 했다. ⇨ [겨론] [결혼]

4 나는 잘못된 <u>표현</u>을 고쳐 썼다. ⇨ [표현] [표연]

5 나는 동생에게 <u>인형</u>을 선물했다. ⇨ [이녕] [인형]

6 사람은 환경의 <u>영향</u>을 많이 받는다. ⇨ [영ː양] [영ː향]

7 비가 와서 버스 <u>번호</u>가 잘 보이지 않는다. ⇨ [버노] [번호]

더 알아두기

'ㅎ'이 둘째 음절 이하의 첫소리에 놓이면 'ㅎ'을 온전하게 발음해야 해요. 둘째 음절 이하의 'ㅎ'을 발음하지 않는 것은 올바른 발음이 아니에요.

10 타교과 어휘 · 사회

✏️ 빈칸에 알맞은 낱말을 써서 문장을 완성해 보세요.

1 두 나라 사이에 평화 조약이 [ㅊ][ㅕ]되었다.

계약이나 조약 따위를 공식적으로 맺음.

2 신하들은 왕의 [ㅌ][위]를 결사코 반대하였다.

임금의 자리에서 물러남.

3 대통령은 그를 [ㅌ][ㅅ]로 아프리카에 파견하였다.

특별한 임무를 띠고 외국으로 보내지는 사람

4 우리는 마침내 적군의 [ㅍ][우]를 뚫고 반격에 나섰다.

주위를 에워쌈.

5 선왕이 돌아가시고 나서 세자가 왕으로 [ㅈ][우]하였다.

임금이 될 사람이 임금의 자리에 오름.

6 우리는 일제의 [ㅌ][아] 속에서도 독립운동을 계속해 나갔다.

힘 따위로 억지로 눌러 꼼짝 못 하게 함.

7 그는 독립운동에 몸담아 삼 년의 [ㅇ][ㄱ]를 치르고 나서야 풀려났다.

옥살이를 하는 고생

⑧ 이번   ㅎ   ㅌ   는 적이 함정에 빠지도록 계산된 것이다.
뒤로 물러남.

⑨ 그는 결국 이웃 나라로   마   며   을 떠나기로 결정했다.
정치, 사상 따위를 이유로 받는 괴롭힘을 피하기 위해
몰래 자기 나라를 떠나 다른 나라로 감.

⑩ 전쟁 중에 무고한 시민들이 적군에게   하   사   을 당했다.
몹시 모질고 잔인하게 마구 죽임.

⑪ 그 집단은 내부에   부   여   이 생겨 두 집단으로 나뉘었다.
집단이나 단체, 사상 따위가 갈라져 나뉨.

⑫ 불법 시위를   지   아   하기 위해 수많은 경찰들이 동원되었다.
강제로 억눌러 진정시킴.

⑬ 대한 제국은 마침내 중국과의   ㅅ   대   관계를 청산하였다.
약자가 강자를 섬김.

⑭ 그는 약자에 대해   무   시   야   며   으로 지원을 아끼지 않았다.
물질적인 것과 정신적인 것의 두 방면

다음 빈칸에 글자를 넣어 낱말을 완성하세요.

¹⬜근 　　멀고 가까운 곳

²건⬜다 　　남에게 말을 붙이다.

³⬜근 　　곁에서 가까이 모시는 사람

⁴⬜로선 　　위에서 아래로 내려 그은 줄

⁵⬜스⬜ 　　까닭이나 실속이 없는 데가 있게

⁶근⬜치 　　본래 구하고자 하는 수의 값에 가까운 값

⁷마⬜하다 　　그렇게 하거나 되는 것이 이치로 보아 옳다.

⁸반⬜동물 　　사람이 정서적으로 의지하고자 가까이 두고 기르는 동물

⁹바⬜다 　　풀칠한 종이나 헝겊 따위를 다른 물건의 표면에 고루 붙이다.

¹⁰가자미⬜ 　　화가 나서 옆으로 흘겨보는 눈을 가자미의 눈에 비유하여 이르는 말

¹¹옥 ☐ — 옥살이를 하는 고생

¹²진 ☐ — 강제로 억눌러 진정시킴.

¹³새 ☐ 다 — 글씨나 그림 따위를 파다.

¹⁴물 ☐ 양 ☐ — 물질적인 것과 정신적인 것의 두 방면

¹⁵체 ☐ — 계약이나 조약 따위를 공식적으로 맺음.

¹⁶자 ☐ 이 — 연기나 안개 따위가 잔뜩 끼어 흐릿하게

¹⁷자 ☐ 하다 — 자기의 감정이나 욕망을 스스로 억누르다.

¹⁸분 ☐ — 집단이나 단체, 사상 따위가 갈라져 나뉨.

¹⁹수 ☐ 이 — 쌓이거나 담긴 물건 따위가 불룩하게 많이

²⁰조 ☐ 하다 — 사물의 내용을 명확히 알기 위하여 자세히 살펴보거나 찾아보다.

MEMO

MEMO

MEMO

미래를 생각하는
(주)이룸이앤비

이룸이앤비는 항상 꿈을 갖고 무한한 가능성에 도전하는 수험생 여러분과 함께 할 것을 약속드립니다.
수험생 여러분의 미래를 생각하는 이룸이앤비는 항상 새롭고 특별합니다.

내신·수능 1등급으로 가는 길
이룸이앤비가 함께합니다.

이룸이앤비	Q

인터넷 서비스

이룸이앤비의 모든 교재에 대한 자세한 정보
각 교재에 필요한 듣기 MP3 파일
교재 관련 내용 문의 및 오류에 대한 수정 파일

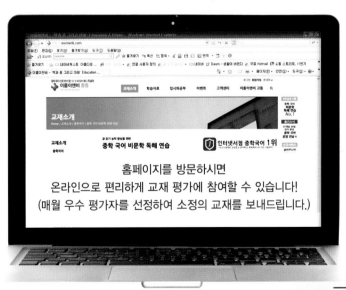

홈페이지를 방문하시면
온라인으로 편리하게 교재 평가에 참여할 수 있습니다!
(매월 우수 평가자를 선정하여 소정의 교재를 보내드립니다.)

굿비 좋은 시작, 좋은 기초

글 읽기 능력이 향상되면
모든 공부의 **차신감**도 **향상**됩니다.

신간

다양한 글들을
쉽고 재미있게
공부하다 보면
독해왕이 됩니다!!!

숨마어린이
초등국어 **독해왕** 시리즈
1단계 / 2단계 / 3단계 / 4단계 / 5단계 / 6단계 (전 6권)

숨마 어린이®

어휘력 향상을 위한

초등국어

어휘 왕

5-2

정답 및 해설

눈으로 보는 정답 및 도움말

▶ 학생 지도 자료로 활용할 수 있습니다.

초등국어 어휘력 향상을 위한 **어휘왕**

5-2

이룸이앤비
Education&Books

1장 마음을 나누며 대화해요

국어 교과서 28~59쪽

1 공감하기

공감하며 대화하면 상대의 처지를 이해할 수 있고 서로 기분 좋게 대화를 할 수 있어요. 또, 공감하는 대화를 통해 상대와 사이가 더 좋아질 수 있어요.

도움말▲ '공감'은 '남의 감정, 의견, 주장 따위에 대하여 자기도 그렇다고 느낌.'을 뜻하는 말이에요.

✎ 다음 대화에서 선생님이 공감하며 대화하는 방법을 [보기]에서 찾아 써 보세요.

보기

경청하기   공감하며 말하기   처지를 바꾸어 생각하기

1 현민: 선생님, 제가 눈이 안 좋은데 자리가 너무 뒤쪽이라 칠판이 잘 보이지 않아요.
선생님: (눈을 맞추고 고개를 끄덕이며) 그랬구나.

⇨ 1단계: **경청하기**

2 현민: 네. 칠판이 잘 보이지 않아 공부하기가 힘들었어요.
선생님: 선생님도 현민이처럼 칠판이 잘 보이지 않았다면 답답했을 것 같구나.

⇨ 2단계: **처지를 바꾸어 생각하기**

도움말▲ '처지'는 '처하여 있는 사정이나 형편'이에요.

3 현민: 선생님, 자리를 앞쪽으로 옮기면 칠판이 잘 보여서 열심히 공부할 수 있을 것 같아요.
선생님: 그래. 자리를 바꿔 줄 친구가 있는지 물어보도록 하자. 선생님이 현민이의 상황을 미리 알아주지 못해 미안하구나.

⇨ 3단계: **공감하며 말하기**

10

---

2 주제별 어휘 누리 소통망

누리 소통망은 '소셜 네트워크 서비스[SNS]'를 다듬은 말이에요. 상대와 직접 만나서 대화하기 어려울 때 누리 소통망으로 대화를 할 수 있어요.

✎ 주어진 뜻에 알맞은 낱말을 [보기]에서 찾아 써 보세요.

보기

계정   댓글   매체   게시물   그림말   대화방   업로드

1 어떤 사실을 널리 전달하는 물체나 수단 ⇨ 매체

2 문자와 기호, 숫자 등을 조합하여 만든 그림 문자 ⇨ 그림말

3 인터넷에 오른 글에 대하여 짧막하게 답하여 올리는 글 ⇨ 댓글

4 인터넷을 이용해 다른 컴퓨터 시스템에 자료를 옮기는 것 ⇨ 업로드

도움말▲ '다운로드'는 '인터넷을 이용해 다른 컴퓨터 시스템에서 자료를 받아 오는 것'을 뜻하는 말이에요.

5 인터넷에서 여러 사람에게 알리기 위해 내건 글이나 영상 자료 ⇨ 게시물

6 인터넷에서 여러 사용자가 모니터 화면을 통하여 대화를 나누는 곳 ⇨ 대화방

7 인터넷에서 이용자의 신분을 나타낼 수 있는 문자나 숫자 등의 체계 ⇨ 계정

11

---

3 자주 쓰는 말 봄눈 녹듯

✎ 그림의 상황과 어울리도록 빈칸에 알맞은 말을 [보기]에서 찾아 써 보세요.

보기

봄눈 녹듯   밑 빠진 독   발을 구르다   귀를 기울이다

1

⇨ 친구의 이야기에 **귀를 기울이다** .
남의 이야기나 의견에 관심을 가지고 주의를 모으다.

2

⇨ 버스를 놓칠까 봐 **발을 구르다** .
매우 안타까워하거나 다급해하다.

3

도움말▼ '봄눈 녹듯'이란 말은 '먹은 것이 소화됨을 비유적으로 이르는 말'이기도 해요.

봄눈 녹듯 눈사람이 녹아 버렸다.
무엇이 빨리 슬어 없어지는 모양을 비유적으로 이르는 말

4

⇨ 내 머리는 **밑 빠진 독** 인지 돌아서면 잊어버린다.
힘을 아무리 들여도 들인 보람 없는 상태를 이르는 말

12

---

4 흉내 내는 말 너울너울

✎ 빈칸에 알맞은 낱말을 [보기]에서 찾아 써 보세요.

보기

훨훨   너덜너덜   너울너울   들썩들썩
또박또박   조물조물   기우뚱기우뚱

1 책이 너덜너덜 해져서 읽기가 힘들었다.
여러 가닥이 자꾸 어지럽게 늘어져 흔들리는 모양

2 축제가 시작되자 온 마을이 들썩들썩 정신이 없다.
시끄럽고 어수선하게 자꾸 움직이는 모양

3 그 작은 배는 파도가 칠 때마다 기우뚱기우뚱 흔들렸다.
물체가 이쪽저쪽으로 자꾸 기울어지며 흔들리는 모양

4 동생은 조물조물 찰흙을 주물러 자동차 모형을 만들었다.
작은 손놀림으로 자꾸 주물러 만지작거리는 모양

도움말▼ '훨훨'은 '불길이 세차고 매우 시원스럽게 타는 모양'의 뜻도 있어요.

5 갈매기가 훨훨 날갯짓을 하며 하늘 높이 날아올랐다.
새 따위가 높이 떠서 느리게 날개를 치며 매우 시원스럽게 나는 모양

6 나비가 꽃밭에서 두 날개를 활짝 펴고 너울너울 춤을 춘다.
팔이나 날개 따위를 활짝 펴고 자꾸 위아래로 부드럽게 움직이는 모양

7 그는 많은 사람들 앞에서 떨지 않고 자신의 생각을 또박또박 말했다.
말이나 글씨 등이 분명하고 또렷한 모양

13

5 뜻을 더하는 말 드-

'드-'는 '심하게' 또는 '높이'의 뜻을 더해 주는 말이에요.

✏️ 밑줄 친 말을 한 낱말로 바꿔 써 보세요.

❶ 가을 하늘이 <u>매우 높다</u>. ⇨ 드 높 다

❷ 태양이 수평선 위로 <u>기운차게 솟다</u>. ⇨ 드 솟 다

❸ 바람이 <u>기세가 몹시 강하고 사납다</u>. ⇨ 드 세 다

❹ 그 집 앞마당이 활짝 <u>트이고 아주 넓다</u>. ⇨ 드 넓 다

❺ 지금은 농사철이라 농민들이 <u>몹시 바쁘다</u>. ⇨ 드 바 쁘 다

❻ 화를 내며 손에 잡히는 물건을 마구 <u>들어 내던지다</u>. ⇨ 드 던 지 다

도움말 ▼ '드날리다'는 '손으로 들어서 날리다.'라는 뜻으로도 쓰여요. 예 연을 드날리다.

❼ 그가 마침내 이름을 크게 <u>드러나 널리 떨치게 하다</u>. ⇨ 드 날 리 다

14

---

6 헷갈리기 쉬운 말 좇다/쫓다

✏️ 주어진 뜻을 참고하여 문장에 어울리는 낱말을 찾아 ○표 하세요.

좇다	목표, 꿈, 행복 따위를 추구하다.
쫓다	앞선 대상을 잡으려고 뒤를 급히 따르다.

❶ 나호는 누나를 (좇아 /**쫓아**) 방에 들어갔다.
도움말 ▲ '쫓다'는 '어떤 자리에서 떠나도록 몰다.'라는 뜻도 있어요. 예 파리를 쫓다.

❷ 나는 내 꿈을 (**좇으며**/ 쫓으며) 열심히 공부할 것이다.

❸ 사냥꾼은 눈 위에 발자국을 따라 노루를 (좇았다 /**쫓았다**).

❹ 명예를 (**좇으려**/ 쫓으려) 하지 말고 진정으로 원하는 것을 해야 한다.

맡다	책임을 지고 어떤 일을 하다.
맞다	오는 사람을 예의로 받아들이다.

❺ 우리 집에 오는 손님을 반갑게 (**맞았다**/ 맡았다).

❻ 우리 모둠에서는 내가 발표를 (맞게 /**맡게**) 되었다.

❼ 선희는 아무리 작은 일이라도 (맞은 /**맡은**) 일에 최선을 다한다.

15

---

7 바꿔 쓸 수 있는 말 나르다

✏️ 밑줄 친 낱말과 바꿔 쓸 수 있는 낱말을 빈칸에 써 보세요.

❶ 몸이 너무 <u>피곤할</u> 때에는 푹 쉬어야 한다. ⇨ 고 단 할
몸이나 마음이 지쳐서 힘들
도움말 ▲ '피곤하다'는 '피로하다', '고달프다'와도 바꿔 쓸 수 있어요.

❷ 믿었던 사람에게 배신을 당한 것이 <u>분하다</u>. ⇨ 원 통 하 다
억울한 일을 당해서 매우 화가 나다.

❸ 아빠는 화분을 옥상으로 <u>나르고</u> 계셨다. ⇨ 운 반 하 고
물건을 다른 곳으로 옮기고

❹ 그해 9월 마침내 국군은 서울을 <u>되찾았다</u>. ⇨ 수 복 했 다
도로 찾았다.

❺ 학부모들이 <u>번갈아서</u> 건널목의 교통 지도를 한다. ⇨ 교 대 해 서
일정한 시간 동안 한 사람씩 차례를 바꾸어서

❻ 은정이는 <u>게을러서</u> 맡은 일을 제때에 해내지 못한다. ⇨ 나 태 해 서
행동, 성격 따위가 느리고 움직이거나 일하기를 싫어서

❼ 그는 러시아 대륙을 <u>가로지르는</u> 열차에 몸을 실었다. ⇨ 횡 단 하 는
어떤 곳을 가로 등의 방향으로 질러서 지나는

16

---

8 띄어쓰기 까지, 처럼

'까지, 처럼' 따위와 같이 다른 말에 붙어 그 말과 다른 말과의 문법적인 관계를 표시하거나 그 말의 뜻을 도와주는 말은 앞말과 붙여 써야 해요.

집에서 **학교까지** 10분이 걸린다. 그는 **소처럼** 일만 한다.

✏️ 다음 문장을 주어진 횟수에 따라 바르게 띄어 써 보세요.

❶ 한시까지도서관앞에서만나자. (4회)

| 한 | 시 까 지 | 도 서 관 | 앞 에 서 | 만 나 자 . |

❷ 떡이맛도좋은데예쁘기까지하다. (4회)

| 떡 이 | 맛 도 | 좋 은 데 | 예 쁘 기 까 지 | 하 다 . |

❸ 새처럼하늘을자유롭게날고싶다. (4회)

| 새 처 럼 | 하 늘 을 | 자 유 롭 게 | 날 고 | 싶 다 . |

❹ 내가할수있는데까지해볼게. (6회)

| 내 가 | 할 | 수 | 있 는 | 데 까 지 | 해 | 볼 게 . |

❺ 네가이렇게까지웃을줄은몰랐어. (4회)

| 네 가 | 이 렇 게 까 지 | 웃 을 | 줄 은 | 몰 랐 어 . |

❻ 나도너처럼기타를잘치고싶어. (5회)

| 나 도 | 너 처 럼 | 기 타 를 | 잘 | 치 고 | 싶 어 . |

17

9 형태는 같은데 뜻이 다른 말 달다

밑줄 친 낱말의 알맞은 뜻을 찾아 기호를 써 보세요.

ㄱ **달다¹** 꿀이나 설탕의 맛과 같다.
ㄴ **달다²** 글이나 말에 설명 따위를 덧붙이거나 보태다.
ㄷ **달다³** 타지 않는 단단한 물체가 열로 몹시 뜨거워지다.
ㄹ **달다⁴** 말하는 이가 듣는 이에게 어떤 것을 주도록 요구하다.

도움말▲ '달다'는 '저울로 무게를 헤아리다.', '물건을 일정한 곳에 걸거나 매어 놓다.'의 뜻으로도 쓰여요.

① 잘 익은 단감이 매우 <u>달고</u> 맛있다. ⇨ ㄱ

② 두껍아, 두껍아, 헌 집 줄게, 새 집 <u>다오</u>. ⇨ ㄹ

③ 누나가 엄마에게 용돈을 더 <u>달라고</u> 졸랐다. ⇨ ㄹ

④ 오빠는 <u>단</u> 음식보다는 매운 음식을 좋아한다. ⇨ ㄱ

⑤ 그는 불 속에서 빨갛게 <u>단</u> 쇠를 꺼내 두드렸다. ⇨ ㄷ

⑥ 친구가 쓴 글에 댓글을 <u>달아</u> 서로 소통을 했다. ⇨ ㄴ

⑦ 한문을 읽을 때 토를 <u>달아</u> 놓으면 읽기가 훨씬 수월하다. ⇨ ㄴ

18

10 잘못 쓰기 쉬운 말 짚신

밑줄 친 낱말을 알맞게 고쳐 써 보세요.

① 옛날에는 주로 <u>집신</u>이나 가죽 신발을 신었다. ⇨ 짚 신
　볏짚을 꼬아서 만든 신

② 민서는 친구들과 싸우고 나서 <u>금새</u> 화해를 했다. ⇨ 금 세

③ 수정이는 아이들에게 <u>챙피</u>를 당해서 숨고 싶었다. ⇨ 창 피

④ 지각 한 번 없던 은영이가 결석을 하다니, <u>왠일</u>일까? ⇨ 웬 일
　도움말▲ '웬일'의 '웬'은 '어찌 된, 어떠한'의 뜻을 가지고 있어요.

⑤ 도서관에서 그렇게 큰 소리로 떠들면 <u>어떻해</u>. ⇨ 어 떡 해
　도움말▲ '어떡해'는 '어떻게 해'가 줄어든 말이에요.

⑥ 그는 까맣게 탄 냄비를 <u>수새미</u>로 문질러 닦았다. ⇨ 수 세 미

⑦ 나는 친구를 놀래 주려고 <u>일부로</u> 아픈 척을 했다. ⇨ 일 부 러

19

11 (타교과 어휘) 사회

빈칸에 알맞은 낱말을 써서 문장을 완성해 보세요.

① 그 두 나라는 병 합 후에 세력이 더 커졌다.
　둘 이상의 기구나 단체, 나라 따위가 하나로 합쳐짐.

　도움말▼ '담판'과 헷갈리기 쉬운 '단판'은 '단 한 번에 승패를 가르는 판'을 뜻하는 말이에요.
② 그 둘은 만나서 이 문제에 대해 담 판 을 짓기로 했다.
　서로 맞선 관계에 있는 쌍방이 의논하여 옳고 그름을 판단함.

③ 이 유적지에서 출 토 된 도자기는 원형을 유지하고 있다.
　땅속에 묻혀 있던 물건이 밖으로 나옴. 또는 그것을 파냄.

　도움말▼ '도읍'은 '서울'과 같은 말이에요.
④ 왕은 신하들을 이끌고 도 읍 으로 삼을 만한 곳을 둘러보았다.
　한 나라의 중앙 정부가 있는 곳

⑤ 삼국 중 가장 먼저 전 성 기 를 맞이한 나라는 백제이다.
　힘이나 세력 따위가 한창 왕성한 시기

⑥ 대조영은 고구려 유 민 들과 말갈족을 이끌고 발해를 세웠다.
　망하여 없어진 나라의 백성

⑦ 이 나라는 항구가 발달되어 있어 다른 나라와 교 역 에 유리하다.
　나라와 나라 사이에서 물건을 사고팔고하여 서로 바꿈.

20

빈칸에 알맞은 낱말을 주어진 글자 카드로 만들어 써 보세요.

| 마 | 쟁 | 비 | 모 | 수 | 항 | 순 |

① 서울 북한산에는 신라 진흥왕의 순수비 가 세워져 있다.
　임금이 살피며 돌아다닌 곳을 기념하기 위하여 세운 비석

② 금속 활자는 금속으로 만들어져 쉽게 마모 되지 않는다.
　마찰 부분이 닳아서 없어짐.

③ 고려는 몽골에 대한 끈질긴 항쟁 으로 나라를 지켜 냈다.
　맞서 싸움.

| 거 | 역 | 동 | 지 | 유 | 근 | 맹 |

　도움말▼ '근거지'는 '본거지'로도 쓸 수 있어요.
④ 적의 정확한 근거지 를 파악하기 위해 정보를 모았다.
　활동의 중심인 곳

⑤ 한강 유역 을 차지하려고 삼국은 오랜 시간 동안 싸웠다.
　강물이 흐르는 언저리

⑥ 그 나라는 이웃 나라와 동맹 을 맺어 적의 침략에 대비했다.
　둘 이상의 개인이나 단체, 나라 따위가 서로 도울 것을 약속하는 결합

21

2장 지식이나 경험을 활용해요

국어 교과서 60~91쪽

1 지식과 경험

이미 알고 있는 것이나 경험한 것을 활용하여 책을 읽으면 글의 내용을 보다 잘 이해할 수 있어요.

🖊 빈칸에 주어진 뜻에 알맞은 낱말을 써서 글을 완성해 보세요.

글을 읽을 때 아는 내용이나 겪은 일과 관련지으면 글의 내용이나 글 속에 등장하는 인물의 마음을 더 깊이 있게 이해하는 ❶ 을 가질 수 있다. 또한 글은 읽은 후 얻게 되는 지식이나 지혜, 교훈 등을 자신의 삶에 의미 있게 ❷ 할 수 있다. 경험을 떠올리며 글을 읽음으로써 읽기에 ❸ 를 느끼게 되고 지식과 경험, 생각이나 판단 등을 글의 내용과 비교하면서 읽는 ❹ 읽기 태도를 기를 수 있다.

자신에게 ❺ 이 전혀 없거나 부족하다면, 글을 읽기 전에 다양한 노력을 기울여야 한다. 예를 들면 안내 서적이나 백과사전, 해설서 등을 미리 찾아보거나, 인터넷을 통해 자료를 검색해 보는 것도 좋은 방법이다.

❶ 사물을 보고 분별하는 능력 ⇨ 안 목

❷ 둘 이상의 다른 현상 따위를 알맞게 조화하게 함. ⇨ 접 목

❸ 흥을 느끼는 재미 ⇨ 흥 미

❹ 다른 것에 이끌리지 아니하고 스스로 일으키거나 움직이는 ⇨ 능 동 적

❺ 어떤 일을 하거나 연구할 때, 이미 머릿속에 들어 있거나 기본적으로 필요한 지식 ⇨ 배 경 지 식

도움말 ▲ '스스로 움직이지 않고 남의 힘을 받아 움직이는'을 뜻하는 말은 '수동적'이에요.

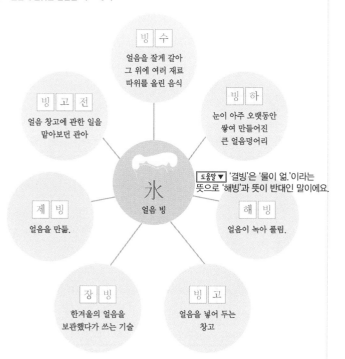

24

---

2 형태는 같은데 뜻이 다른 말 지르다

🖊 밑줄 친 낱말의 알맞은 뜻을 찾아 기호를 써 보세요.

㉠ 지르다¹ 한가운데로 지나가다.
㉡ 지르다² 목청을 높여 소리를 크게 내다.
㉢ 지르다³ 양쪽 사이에 막대기나 줄 따위를 끼워 놓거나 꽂아 놓다.

❶ 아이들은 운동장을 질러 체육관으로 갔다. ⇨ ㉠

❷ 대문에 빗장을 지르자 삐거덕 소리가 났다. ⇨ ㉢

❸ 아이들은 놀이 기구를 타며 소리를 꽥꽥 질렀다. ⇨ ㉡

❹ 그녀는 머리를 돌돌 말아 올리고 비녀를 질렀다. ⇨ ㉢

❺ 함박눈이 펑펑 내리는 모습을 보며 탄성을 질렀다. ⇨ ㉡

❻ 할아버지는 장난을 치는 아이들을 향해 고함을 질렀다. ⇨ ㉡

❼ 이 길로 공원을 질러 지름길로 가면 훨씬 빨리 갈 수 있다. ⇨ ㉠

25

---

3 한자어 1 빙(氷)

한자 '氷(빙)'은 '얼음'이라는 뜻을 나타내요. 공통된 한자가 들어가는 낱말을 묶어서 공부하면 낱말을 기억하기 쉬워요.

🖊 빈칸에 알맞은 낱말을 써 보세요.

빙 수
얼음을 잘게 갈아 그 위에 여러 재료 따위를 올린 음식

빙 하
눈이 아주 오랫동안 쌓여 만들어진 큰 얼음덩어리

빙 고 전
얼음 창고에 관한 일을 맡아보던 관아

氷
얼음 빙

도움말 ▼ '결빙'은 '물이 얾.'이라는 뜻으로 '해빙'과 뜻이 반대인 말이에요.

해 빙
얼음이 녹아 풀림.

제 빙
얼음을 만듦.

장 빙
한겨울의 얼음을 보관했다가 쓰는 기술

빙 고
얼음을 넣어 두는 창고

26

---

4 한자어 2 현재

🖊 빈칸에 알맞은 낱말을 쓰고, 이에 공통으로 쓰인 한자를 찾아 ○표 하세요.

❶
현 재 를 즐겨라.
지금의 시간

현 대 는 정보화 시대이다.
지금의 시대

① 絃 줄 현 ② 玄 검을 현 ③ 賢 어질 현 ④ 現 나타날 현

❷
개구리를 유심히 관 찰 했다.
사물이나 현상을 주의하여 자세히 살펴봄.

제주도는 관 광 의 명소이다.
어떤 곳을 찾아가서 경치, 상황, 풍속 등을 구경함.

① 館 집 관 ② 觀 볼 관 ③ 官 벼슬 관 ④ 關 관계할 관

❸
거친 날씨로 여객선의 운항이 중 단 되었다.
어떤 일을 중간에 멈추거나 그만둠.

우리 집은 단 열 이 잘돼서 겨울에도 따뜻하다.
열이 서로 통하지 않도록 막음.

① 單 홑 단 ② 短 짧을 단 ③ 斷 끊을 단 ④ 但 다만 단

27

5 바꿔 쓸 수 있는 말 1 이정표

✏ 밑줄 친 낱말과 바꿔 쓸 수 있는 낱말을 써 보세요.

❶ 우리 집 근처에는 약국이 정말 많다.　⇨ 근 방
　　　　가까운 곳

❷ 이번 경기의 승부는 초반부터 결정이 났다.　⇨ 승 패
　　　　이김과 짐

❸ 우리 형은 내년에 고등학생이 된다.　⇨ 이 듬 해
　　　　올해의 바로 다음 해

❹ 눈사람이 따뜻한 춘기에 그만 녹아내렸다.　⇨ 봄 기 운
　　　　봄을 느끼게 해 주는 기운

❺ 그는 개미를 조사하려고 개미굴을 파기 시작했다.　⇨ 개 미 집
　　　　개미가 구멍을 파고 모여 사는 곳

❻ 이정표를 따라 걷다 보니 어느새 목적지에 도착했다.　⇨ 길 잡 이
　　　　어떤 곳까지의 거리와 방향을 알려 주는 표지

　도움말▼ '통풍구'는 '공기구'로도 써요.
❼ 이 창고는 통풍구 외에도 창문이 있어 환기가 잘된다.　⇨ 공 기 구 멍
　　　　공기가 통하도록 낸 구멍

28

6 바꿔 쓸 수 있는 말 2 여기다

✏ 밑줄 친 낱말과 바꿔 쓸 수 있는 낱말을 [보기]에서 찾아 알맞게 활용하여 써 보세요.

　　　　　보기
꺾다　　　간주하다　　　뛰어넘다　　　비탈지다
시합하다　　　지속하다　　　차단하다

❶ 나는 강한 햇빛을 막기 위해 커튼을 쳤다.　⇨ 차단하기
　　　　주위, 햇빛 따위가 어떤 대상에
　　　　미치지 못하게 하기

❷ 그는 어릴 때 사귄 친구들과 관계를 유지하고 있다.　⇨ 지속하고
　　　　어떤 상태나 상황을 그대로
　　　　이어 나가고

❸ 형사들은 그를 이번 사건의 범인으로 여기고 있었다.　⇨ 간주하고
　　　　마음속으로 그러하다고
　　　　생각하고

❹ 상대 팀의 기를 누르기 위해 목청껏 함성을 질렀다.　⇨ 꺾기
　　　　마음대로 행동하지 못하도록 억압하기

❺ 이 길은 경사져서 자전거로 내려갈 때 조심해야 한다.　⇨ 비탈져서
　　　　땅이 한쪽으로 기울어져서

❻ 아이들이 운동장에서 누가 더 멀리 뛰는지 겨루고 있다.　⇨ 시합하고
　　　　누가 더 뛰어난지
　　　　드러나도록 싸우고

❼ 나는 하루도 거르는 법 없이 매일 꼬박꼬박 운동을 한다.　⇨ 뛰어넘는
　　　　어느 순서나 자리를 빼고 넘기는

29

7 뜻이 여러 가지인 말 넘다

✏ 밑줄 친 낱말의 알맞은 뜻을 찾아 번호를 써 보세요.

넘다　① 일정한 시간, 시기, 범위 따위에서 벗어나 지나다.
　　　② 높은 부분의 위를 지나다.
　　　③ 일정한 기준이나 한계 따위를 벗어나 지나다.
　　　④ 어려움이나 고비 따위를 겪어 지나다.

❶ 이 줄은 길이가 무려 40미터가 넘는다.　⇨ ①
　도움말▼ '아마추어'는 예술, 운동, 기술 따위를 전문으로
　하는 것이 아니라 취미로 즐겨 하는 사람을 이르는 말이에요.
❷ 그의 춤 실력은 아마추어 수준을 넘지 못한다.　⇨ ③

❸ 그는 산을 넘고 강을 건너서 목적지에 도착했다.　⇨ ②

❹ 도둑은 안방의 창문을 넘어서 들어왔다고 말했다.　⇨ ②

❺ 고비를 무사히 넘기고 마침내 그녀는 성공을 했다.　⇨ ④

❻ 연주는 약속 시간이 한 시간이나 넘어서야 나타났다.　⇨ ①

❼ 인호의 수영 실력은 아직 초보자 수준을 넘지 못했다.　⇨ ③

더 알아두기　'넘다'의 여러 뜻은 무엇인가를 지난다는 뜻으로 서로 연결되어 있어요. 이처럼 다의어는 한 낱말이
조금씩 다른 뜻을 가지지만 여러 뜻들은 기본 의미에서 넓어진 뜻이에요.

30

8 움직임을 나타내는 말 진상하다

✏ 밑줄 친 낱말을 따라 써 보고, 뜻으로 알맞은 것을 찾아 번호를 써 보세요.

❶ 이 인삼은 임금님께 진 상 할 귀중한 것이다.　(②)
　① 눈으로 대상을 즐기거나 감상하게 할
　② 귀한 물품이나 지방의 특산물을 왕이나 높은 관리에게 바칠

❷ 방송사는 정확한 뉴스를 공 급 하 기 위해 노력하고 있다. (①)
　① 요구나 필요에 따라 물품 따위를 제공하기
　② 사람이나 사물을 다른 사람이나 사물로 대신하기
　도움말▲ '사람이나 사물을 다른 사람이나 사물로 대신하다.'
　라는 뜻을 가진 말은 '교체하다'예요.

❸ 언니는 침대 모서리에 걸 터 앉 아 책을 읽고 있다. (②)
　① 벽 따위에 몸을 의지하여 비스듬히 앉아
　② 어떤 물체에 온몸의 무게를 실어 걸치고 앉아

❹ 여행을 통해 그 지역 사람들의 생활상을 체 험 할 수 있다. (①)
　① 자기가 몸소 겪을
　② 사물이나 현상을 주의하여 자세히 살펴볼

❺ 이 미술관에서는 주로 동양화 작품을 전 시 한 다. (②)
　① 자랑하여 보인다.
　② 여러 가지 물품을 한곳에 차려 놓고 보게 한다.
　도움말▲ '자랑하여 보이다.'라는 뜻을 가진 말은 '과시하다'예요.

❻ 이 백화점에서는 연말마다 할인 행사를 진 행 하 고 있다. (①)
　① 일 따위를 처리하여 나가고
　② 여유를 주지 아니하고 계속 몰아붙이고

31

9 헷갈리기 쉬운 말 제치다/젖히다

주어진 뜻을 참고하여 문장에 어울리는 낱말을 찾아 ○표 하세요.

메다	어깨에 걸치거나 올려놓다.
매다	따로 떨어지거나 풀어지지 않도록 끈이나 줄의 두 끝을 서로 묶다.

도움말▲ '매다'는 '논밭에 난 잡풀을 뽑다.'라는 뜻으로도 쓰여요.

1 한복을 입고 저고리의 옷고름을 예쁘게 (메었다 /(매었다)).

2 수백 명의 군인들이 총을 ((메고)/ 매고) 행군을 하고 있다.

3 사내들이 줄을 어깨에 ((메고)/ 매고) 줄다리기를 할 곳으로 옮겼다.

제치다	일을 미루다.
젖히다	안쪽이 겉으로 나오게 하다.

4 나는 이불을 (제치고 /(젖히고)) 침대에서 일어나 화장실로 갔다.

5 대보름에는 모든 일을 ((제쳐)/ 젖혀) 두고 줄다리기를 준비한다.

6 그는 코트 자락을 (제치고 /(젖히고)) 의자에 앉아 커피를 마셨다.

7 그녀는 제 집 일은 ((제쳐)/ 젖혀) 두고 남의 집 일에 발 벗고 나섰다.

32

10 잘못 쓰기 쉬운 말 위쪽

다음 문장에 알맞은 낱말을 찾아 ○표 하고, 바르게 써 보세요.

1 (위글 /(윗글))을 읽고 다음 질문에 답을 하세요. ⇨ 윗 글

2 산 ((위쪽)/ 윗쪽)으로 올라갈수록 숨이 차올랐다. ⇨ 위 쪽

3 그는 (위입술 /(윗입술))을 자꾸 깨무는 버릇이 있다. ⇨ 윗 입 술

4 수지는 (위눈썹 /(윗눈썹))이 유달리 길어서 마치 인형 같다. ⇨ 윗 눈 썹

5 그녀는 에스컬레이터를 타고 ((아래층)/ 아랫층)으로 내려갔다. ⇨ 아 래 층

6 우리는 할머니 댁 (아래방 /(아랫방))에 모여 이야기를 나누었다. ⇨ 아 랫 방

도움말▼ '평판'은 '세상 사람들의 평가'를 이르는 말이에요.

7 그는 ((아래사람)/ 아랫사람)에게 친절하게 대해서 평판이 좋다. ⇨ 아 랫 사 람

더 알아두기 순우리말로 된 합성어 앞말이 모음으로 끝나는 경우 사이시옷을 적어야 하지만 뒷말의 첫소리가 된소리(ㄲ, ㄸ, ㅃ, ㅆ, ㅉ)나 거센소리(ㅊ, ㅋ, ㅌ, ㅍ)일 경우 사이시옷을 붙이지 않아요.

33

11 (타교과 어휘) 과학

빈칸에 알맞은 낱말을 써서 문장을 완성해 보세요.

1 배추가 잘 자라도록 밭에 비 료 를 뿌려 주었다.
농사를 지을 때 땅에 뿌리는 영양 물질

2 이 식물은 마른땅보다는 습 지 에서 잘 자란다.
습기가 많은 축축한 땅

3 햇빛은 동물의 번 식 시기에 영향을 미치기도 한다.
생물체의 수나 양이 늘어서 많이 퍼짐

4 오징어들이 태 풍 을 맞으며 알맞게 건조되고 있다.
바다에서 육지로 불어오는 바람

5 공장 폐 수 가 강으로 흘러 들어와 강물의 오염이 심각하다.
공장이나 광산 등에서 쓰고 난 뒤에 버리는 더러운 물

도움말▼ '먹이 연쇄'는 '먹이 사슬'과 같은 말이에요.

6 다양한 생물들은 먹 이 사 슬 로 긴밀히 연결되어 있다.
생태계에서 먹이를 중심으로 이어진 생물 간의 관계

7 특정한 생물의 수가 갑자기 늘거나 줄면 생태계의 평 형 이 깨질 수 있다.
한쪽으로 기울지 않고 안정되어 있음.

34

빈칸에 알맞은 낱말을 글자 카드로 만들어 써 보세요.

| 입 | 털 | 주 | 이 | 손 | 갈 | 실 |

1 가을이 다가오자 우리 집 강아지가 털갈이 를 한다.
짐승이나 새의 묵은 털이 빠지고 새 털이 남.
또는 그런 일

2 간호사는 환자에게 주사기로 약물을 천천히 주입 했다.
흘러 들어가도록 부어 넣음.

3 영양소의 손실 을 최대한 막기 위해 빠른 시간 내에 조리해야 한다.
잃어버리거나 줄어서 손해를 봄.

| 원 | 식 | 복 | 서 | 패 | 지 | 부 |

4 환경은 한번 오염되면 복원 하는 데 오랜 시간이 걸린다.
원래의 상태나 모습으로 돌아가게 함.

5 우리는 도룡뇽 서식지 에서 도룡뇽을 가까이에서 관찰하였다.
생물 따위가 일정한 곳에 자리를 잡고 사는 곳

도움말▼ '부패'는 '정치, 사상, 의식 따위가 잘못된 길로 빠지는 것'을 뜻하기도 해요.

6 멸균 우유가 아닌 일반 우유는 부패 를 막기 위해 냉장 보관을 해야 한다.
단백질이나 지방 따위가 미생물의 작용에 의하여 썩는 것

35

3장 의견을 조정하며 토의해요
📖 국어 교과서 92~123쪽

1 토의의 유형

✏️ 밑줄 친 말을 따라 써 보고, 그에 해당하는 토의 유형을 [보기]에서 찾아 기호를 써 보세요.

보기

① 3~6명의 전문가들이 청중 앞에서 의견을 나누고, 청중과 묻고 답하는 시간을 갖는 형식을 패널토의 라고 한다. ⇨ ⓒ

② 10명 내외의 구성원들이 원탁에 둘러앉아 문제에 대해 자유롭게 이야기하는 형식을 원탁토의 라고 한다. ⇨ ②

③ 4~5명의 전문가들이 청중 앞에서 발표를 한 후에 청중과 묻고 답하는 시간을 갖는 형식을 심포지엄 이라고 한다. ⇨ ①

④ 전문가 한 사람이 문제에 대한 여러 견해를 밝히고, 청중과 묻고 답하는 형식을 포럼 이라고 한다. ⇨ ⓒ

38

2 꾸며 주는 말 정확히

✏️ 밑줄 친 낱말을 따라 쓰고, 그에 알맞은 뜻을 [보기]에서 찾아 기호를 써 보세요.

보기
⊙ 매 때마다　　　　　　ⓒ 여간하여서는
ⓒ 틀림없이 꼭　　　　　② 바르고 확실하게
ⓞ 몸이나 마음이 괴롭지 않고 좋게　　ⓗ 사소한 부분까지 아주 구체적이고 분명하게

① 가까운 사이일수록 돈 계산은 정확히 해야 한다. ⇨ ②

② 우리는 이 문제를 좀 더 자세히 살펴보기로 했다. ⇨ ⓗ

도움말▼ '반드시'는 '기어이', '기필코' 따위와 바꿔 쓸 수 있어요.

③ 이번 경기는 우리 팀이 반드시 이기고 말 것이다. ⇨ ⓒ

④ 서하는 좀처럼 자신의 속마음을 드러내는 일이 없다. ⇨ ⓒ

⑤ 그는 번번이 늦잠을 자서 학교에 지각하기 일쑤이다. ⇨ ⊙

⑥ 바깥에서 시끄러운 소리가 들려와서 잠을 편히 잘 수 없었다. ⇨ ⓞ

39

3 주제별 어휘 방송

✏️ 빈칸에 알맞은 낱말을 써서 문장을 완성해 보세요.

① 이 드라마는 최고의 시청률 을 기록했다.
　텔레비전의 한 프로그램을 시청하는 사람들의 비율

② 그는 생생한 취재 를 위해 사건 현장으로 갔다.
　작품이나 기사에 필요한 재료나 제재를 조사하여 얻음.

③ 그 방송사는 보도 의 내용이 정확하기로 유명하다.
　신문, 방송 등을 통해 여러 사람에게 새로운 소식을 알림. 또는 그 소식

④ 언론 의 자유가 보장되어야 진정한 민주주의 사회이다.
　신문이나 방송 등에서 어떤 사실을 알리거나 여론을 만드는 활동

⑤ 예능 프로그램은 주로 주말 저녁 시간에 편성 되어 있다.
　방송 프로그램의 시간표를 짬.

⑥ 기자 들은 다른 사람들보다 여러 소식에 한발 앞서야 한다.
　신문, 잡지, 방송 등에 실을 기사를 조사하여 쓰거나 편집하는 사람

도움말▼ '민영 방송'은 '민간 기관이 운영하는 방송'으로 '공영 방송'과 뜻이 반대인 말이에요.

⑦ 공영방송 은 공익을 위한 프로그램을 주로 제작한다.
　국가나 사회 구성원 모두의 이익을 목적으로 하는 방송. 또는 그 기관

40

4 한자어 배(配), 예(豫), 의(意)

✏️ 밑줄 친 낱말들 중 주어진 한자가 쓰이지 않은 것을 찾아 ✔표 하세요.

①　配
　나눌 배
　☐ 가구의 배치를 바꾸었다.
　　사람이나 물건 등을 알맞은 자리에 나누어 놓음.
　☐ 친구의 따뜻한 배려에 감동했다.
　　도와주거나 보살펴 주려고 마음을 씀.
　✔ 배경이 예쁜 곳에서 사진을 찍었다.
　　뒤쪽의 경치　도움말▲ '배경'에는 '背(등 배)'자가 쓰였어요.
　☐ 학생들이 줄을 서서 배식을 기다린다.
　　군대 등의 단체에서 식사를 나누어 줌.

②　豫
　미리 예
　☐ 경민이의 행동은 예측을 할 수 없다.
　　앞으로의 일을 추측함.
　☐ 예상대로 수학 시험 문제는 어려웠다.
　　앞으로 있을 일이나 상황을 짐작함. 또는 그런 내용
　✔ 이번 대회에는 모두가 예외 없이 참여했다.
　　일반적인 규칙이나 예에서 벗어나는 일
　☐ 그는 예약 시간에 늦지 않게 치과에 도착했다.
　　자리나 방, 물건 등을 사용하기 위해 약속함. 또는 그런 약속

③　意
　뜻 의
　☐ 두 낱말은 같은 의미로 쓰인다.
　　말이나 글의 뜻
　☐ 우리는 전문가의 의견을 따르기로 결정했다.
　　어떤 대상에 대하여 가지는 생각
　☐ 나는 선의로 한 말이었는데 경수는 오해를 했다.
　　좋은 의도
　✔ 선아는 의심이 많아 다른 사람을 잘 믿지 않는다.
　　확실히 알 수 없어서 믿지 못하는 마음

41

5 뜻이 반대인 말 자율/타율

✏️ 밑줄 친 낱말과 뜻이 반대인 낱말을 써 보세요.

① 자판기는 생활에 많은 편리를 제공하고 있다.
　　　이용하기 쉽고 편함.　　⇨ 불 편

② 많은 학생들이 자율 학습에 참여하길 원했다.
　　　스스로의 원칙에 따라 자신의 행위를 통제하는 일　⇨ 타 율

③ 준희는 허약 체질이라 체육 성적이 좋지 않다.
　　　힘이나 기운이 없고 약함.　　⇨ 건 강

④ 그는 위험을 무릅쓰고 물에 빠진 아이를 구해 냈다.
　　　해를 입거나 다칠 가능성이 있어 안전하지 못함. 또는 그런 상태　⇨ 안 전

⑤ 관광객의 증가로 인해 지역 주민들이 소음에 시달리고 있다.
　　　수나 양이 더 늘어나거나 많아짐　⇨ 감 소

⑥ 나는 하루하루의 삶에 만족을 느끼고 있다.
　　　기대하거나 필요한 것이 모자람이 없거나 마음에 듦.　⇨ 불 만 족

⑦ 일자리가 줄고 물가가 오르는 것은 경제의 적신호로 여길 수 있다.
　　　위험을 알려 주는 분위기나 눈치　⇨ 청 신 호

---

6 속담 고양이 목에 방울 달기

✏️ 주어진 뜻에 알맞은 속담을 [보기]에서 찾아 써 보세요.

> **보기**
> 고양이 쫓던 개　　　　　고양이 앞에 쥐
> 고양이 세수하듯　　　　　고양이 쥐 생각
> 고양이 목에 방울 달기　　고양이한테 생선을 맡기다

① 실행하기 어려운 것을 실속 없이 의논함을 이르는 말
　　⇨ 고양이 목에 방울 달기

② 무서운 사람 앞에서 기가 죽어 꼼짝 못한다는 말
　　⇨ 고양이 앞에 쥐

③ 세수를 하되 콧등에 물만 묻히는 정도로 하나 마나 하게 함을 이르는 말
　　⇨ 고양이 세수하듯
　　도움말 ▲ '고양이 세수하듯'은 '남이 하는 것을 흉내만 내고 그침.'이란 뜻도 있어요.

④ 속으로는 해칠 마음을 품고 있으면서, 겉으로는 생각해 주는 척함을 이르는 말
　　⇨ 고양이 쥐 생각

⑤ 어떤 일이나 사물을 믿지 못할 사람에게 맡겨 놓고 걱정함을 비유적으로 이르는 말
　　⇨ 고양이한테 생선을 맡기다

⑥ 애쓰던 일이 실패로 돌아가거나, 같이 애쓰다가 남에게 뒤져 어쩔 도리가 없게 됨을 이르는 말
　　⇨ 고양이 쫓던 개

---

7 활용형

> 'ㅂ'이 모음으로 시작하는 말 앞에서 '오/우'로 변하는 경우가 있어요. '줍다'의 '줍-'이 '-어'와 결합할 때 'ㅂ'이 '우'로 변해 '주워'가 돼요.
>
> 줍- + -어 → 주워
> 받침 'ㅂ'이 모음으로 시작하는 'ㅜ'로 변함.
> 말과 만나

✏️ 주어진 낱말을 알맞게 활용하여 문장을 완성해 보세요.

① **입다** ⇨
・나는 새 옷을 　입고　 학교에 갔다.
・몸에 맞지 않는 옷을 　입으니/입어서　 불편하다.
・그는 옷을 넉넉하게 　입는　 것을 좋아한다.
　　도움말 ▲ 주어진 답 외에 다른 활용형도 문장의 흐름이 어색하지 않다면 답이 될 수 있어요.

② **가볍다** ⇨
・ 　가벼운　 상자를 네가 들어라.
・동생은 나보다 　가볍고　 형은 나보다 무겁다.
・서우는 몸이 　가벼워(서)　 나도 쉽게 업을 수 있다.

③ **줍다** ⇨
・농부가 들판에서 이삭을 　줍고　 있다.
・길에서 　주운　 지갑을 경찰서에 가져다주었다.
・복도에 떨어진 쓰레기를 　주워(서)　 쓰레기통에 넣었다.

④ **어렵다** ⇨
・영호는 　어려운　 수학 문제도 잘 푼다.
・문제가 너무 　어려워(서)　 푸는 데 시간이 오래 걸렸다.
・선생님께서 시험 문제를 　어렵게　 낼 거라고 하셨다.

---

8 뜻이 여러 가지인 말 막다

✏️ 밑줄 친 낱말의 알맞은 뜻을 찾아 번호를 써 보세요.

막다
　① 길, 통로가 통하지 못하게 하다.
　② 트여 있는 곳을 가리게 둘러싸다.
　③ 강물, 추위, 햇빛 따위가 어떤 대상에 미치지 못하게 하다.
　④ 어떤 일이나 행동을 못하게 하다.

① 민호는 경수와 민철이의 싸움을 막았다. ⇨ ④

② 주말에 울타리로 정원을 막는 공사를 했다. ⇨ ②

③ 앞 건물이 햇빛을 막고 있어 실내가 어둡다. ⇨ ③

④ 사람이 지나다니지 못하도록 길을 막아 놓았다. ⇨ ①

⑤ 나는 결국 그의 말을 막지 못해서 창피를 당했다. ⇨ ④

⑥ 이번 겨울은 추위를 어떻게 막아야 할지 고민이다. ⇨ ③

⑦ 밖에서 시끄러운 소리가 들려와서 손으로 귀를 막았다. ⇨ ①

9 바꿔 쓸 수 있는 말 부딪치다

✏️ 밑줄 친 낱말과 바꿔 쓸 수 있는 낱말을 [보기]에서 찾아 알맞게 활용하여 써 보세요.

보기

우기다	무방하다	생활하다	예측하다
찬동하다	처신하다	충돌하다	

도움말 ▼ '상관없다'는 '관계없다'로도 쓸 수 있어요.

❶ 이 일을 다른 사람에게 말해도 <u>상관없을</u> 것이다.
　　　　　　　　　문제 될 것이 없다.
➡️ 무방하다

❷ 지금 상황으로는 결과를 <u>내다보기</u> 어렵다.
　　　　　　　　　앞일을 미리 헤아리기
➡️ 예측하기

❸ 우리들은 모두 승찬이의 의견에 <u>동의했다</u>.
　　　　　　　　　의사나 의견을 같이했다.
➡️ 찬동했다

❹ 나는 언니와 사사건건 <u>부딪쳐서</u> 자주 싸운다.
　　　　　　　의견이나 생각의 차이로 다른 사람과
　　　　　　　반대되는 관계에 놓여서
➡️ 충돌해서

❺ 그는 예기치 못한 상황에서 현명하게 <u>대처했다</u>.
　　　　　　　어떤 어려운 일이나 상황에 대해
　　　　　　　알맞게 행동했다.
➡️ 처신했다

❻ 자신의 생각만 <u>고집하는</u> 것은 좋지 못한 태도이다.
　　　　　　자기의 의견을 바꾸거나 고치지 않고 굳게 버티는
➡️ 우기는

❼ 요즘은 교실에서 항상 공기 청정기를 틀고 <u>지낸다</u>.
　　　　　　　어떠한 정도나 상태로 살아간다.
➡️ 생활한다

46

---

10 뜻을 더하는 말 -치-

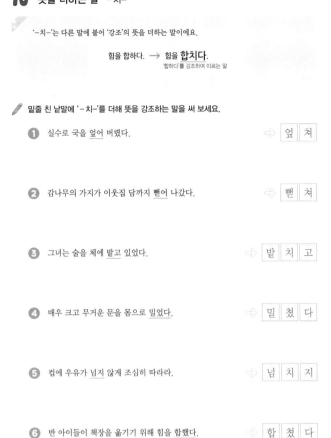

'-치-'는 다른 말에 붙어 '강조'의 뜻을 더하는 말이에요.

힘을 합하다. ➡️ 힘을 **합치다.**
　　　　　　　　　'합하다'를 강조하여 이르는 말

9일
○ 월
○ 일

✏️ 밑줄 친 낱말에 '-치-'를 더해 뜻을 강조하는 말을 써 보세요.

❶ 실수로 국을 <u>엎어</u> 버렸다.
➡️ 엎 처

❷ 감나무의 가지가 이웃집 담까지 <u>뻗어</u> 나갔다.
➡️ 뻗 처

❸ 그녀는 술을 체에 <u>밭고</u> 있었다.
➡️ 밭 치 고

❹ 매우 크고 무거운 문을 몸으로 <u>밀었다</u>.
➡️ 밀 쳤 다

❺ 컵에 우유가 <u>넘지</u> 않게 조심히 따라라.
➡️ 넘 치 지

❻ 반 아이들이 책장을 옮기기 위해 힘을 <u>합했다</u>.
➡️ 합 쳤 다

47

---

11 (타교과 어휘) 도덕

✏️ 빈칸에 알맞은 낱말을 써서 문장을 완성해 보세요.

❶ 개인 정보를 함부로 유 출 해서는 안 된다.
　　　　　　　물품이나 정보 따위가 불법적으로 외부로 나가 버림.
　　　　　　　또는 그것을 내보냄.

도움말 ▼ '절제'는 '잘라 냄.'이라는 뜻으로도 쓰여요.

❷ 절 제 의 힘을 길러 스마트폰을 적당히 사용해야 한다.
　　정도에 넘지 아니하도록 알맞게 조절하여 제한함.

❸ 그는 말을 할 때마다 실수하지 않도록 신 중 을 기했다.
　　　　　　　　　　　　　　매우 조심스러움.

❹ 그는 물건들을 정 품 과 불량품으로 나누어 정리하였다.
　　　　　　　　진짜이거나 온전한 물품

❺ 사 이 버 공 간 은 언제 어디서나 이용할 수 있다.
　　컴퓨터에서, 실제 세계와 비슷하게 만든 가상 공간

❻ 어려운 상황에서는 먼 친척보다 이 웃 사 촌 이 더 낫다.
　　　　　　　　　서로 이웃에 살면서 정이 들어 사촌 형제나 다름 바 없이 가까운 이웃

❼ 두 아이는 서로 맞 장 구 를 쳐 가며 즐겁게 대화를 나누었다.
　　　　　　　　남의 말에 덩달아 호응하거나 동의하는 일

❽ 상대방과 대화를 나눌 때에는 서로의 의견을 존 중 해 주어야 한다.
　　　　　　　　　　　　　　높이어 귀중하게 대함.

48

✏️ 빈칸에 알맞은 낱말을 글자 카드로 만들어 써 보세요.

권	정	경	조	작	저	청

9일
○ 월
○ 일

❶ 아이들의 의견 조정 을 위해 각각의 말을 들어 보았다.
　　　　　　　다툼을 중간에서 화해하게 하거나 서로 타협점을 찾아 합의하도록 함.

❷ 저작권 이 잘 보호되어야 작가들의 창작 의욕을 높일 수 있다.
　　창작물에 대하여 저작자나 그 권리를 이어받은 사람이 갖는 권리

❸ 대화에서 말을 하는 것보다 중요한 것은 경청 을 하는 것이다.
　　　　　　　　　　　　　　귀를 기울여 들음.

네	처	켓	출	독	티	중

❹ 남의 글에서 가져온 내용은 반드시 출처 를 밝혀야 한다.
　　　　　　　　　　　사물이나 말 따위가 생기거나 나온 근거

❺ 인터넷에서는 자신이 드러나지 않을지라도 네티켓 을 지켜야 한다.
　　　　　　　　　　컴퓨터 통신이나 인터넷상에서 지켜야 하는 예절

❻ 오랜 시간 정보 기기를 사용하면 온라인 중독 에 빠질 위험성이 있다.
　　　　　　　　　　　　어떤 사상이나 사물에 젖어 버려
　　　　　　　　　　　　정상적으로 사물을 판단할 수 없는 상태

49

4장 겪은 일을 써요

국어 교과서 124~153쪽

1 글쓰기 과정

다음은 글쓰기 과정을 순서대로 나타낸 것입니다. 설명에 알맞은 글쓰기 단계를 [보기]에서 찾아 써 보세요.

보기

계획하기   고쳐쓰기   표현하기   내용 생성하기   내용 조직하기

1 글 쓸 준비를 하는 단계 ⇨ **계획하기** 단계

2 쓸 내용을 떠올리는 단계 ⇨ **내용 생성하기** 단계

3 쓸 내용을 나누는 단계 ⇨ **내용 조직하기** 단계

4 직접 글을 쓰는 단계 ⇨ **표현하기** 단계

도움말▼ '고쳐쓰기'는 대개 표현하기 단계를 거친 다음에 일어나지만 글쓰기 전 과정에서 일어날 수 있어요.

5 글을 고치는 단계 ⇨ **고쳐쓰기** 단계

52

2 주제별 어휘 1 글쓰기

'글쓰기'는 '생각이나 사실 따위를 글로 써서 표현하는 일'이에요. 이야기나 감정을 표현하거나 사실이나 의견 따위의 정보를 전달하기 위해 글을 써요.

빈칸에 알맞은 낱말을 써서 문장을 완성해 보세요.

도움말▼ '글감'은 '글거리'라고도 해요.

1 나는 눈사람을 글 감 으로 삼아 시를 지었다.
글의 내용이 되는 재료

2 이 그림은 에너지 절약을 주 제 로 그린 것이다.
예술 작품에서 지은이가 표현하고자 하는 주된 생각

3 이 글의 목 적 이 첫 단락에 명확히 나타나 있다.
이루려고 하는 일이나 나아가고자 하는 방향

4 이 소설은 예상치 못한 방향으로 전 개 되어 갔다.
내용을 진행시켜 펴 나감.

5 그 소설을 읽은 지가 오래되어서 제 목 을 잊어버렸다.
글, 영화, 공연 따위에서 중심이 되는 내용을 나타내기 위해 붙이는 이름

6 글을 쓰기에 앞서, 글의 전체적인 개 요 를 먼저 작성했다.
간결하게 추려 낸 주요 내용

도움말▼ '글머리'는 '서두'와 같은 말이에요.

7 이 책의 글 머 리 에는 작가가 글을 쓰게 된 동기가 적혀 있다.
글을 시작하는 첫머리

53

3 주제별 어휘 2 연극

'연극'은 배우가 각본에 따라 어떤 사건이나 인물을 말과 동작으로 관객에 보여 주는 무대 예술이에요. 연극은 관객과 배우가 같은 공간에서 같은 시간을 나눈다는 점에서 영화와 차이가 있어요.

빈칸에 알맞은 낱말을 써서 문장을 완성해 보세요.

도움말▼ '신인'은 '어떤 분야에 새로 등장한 사람'을 이르는 말이에요.

1 이 연극에서는 신인 배 우 가 셋이나 등장한다.
연극이나 영화 따위에 등장하는 인물로 분장하여 연기를 하는 사람

2 공연이 끝나자 관 객 들은 모두 일어나서 박수를 쳤다.
운동 경기, 공연, 영화 따위를 보거나 듣는 사람

3 공연은 연기자들의 즉 흥 연 기 가 더 재미있었다.
연기자가 즉석에서 하는 동작이나 대사

4 이 무 언 극 에서 주인공의 표정 연기가 매우 인상 깊었다.
대사 없이 표정과 몸짓만으로 내용을 전달하는 연극

5 연 출 가 는 이 장면에서 화려한 조명을 밝힐 것을 지시했다.
각본에 따라 모든 일을 지시하고 감독하여 작품을 만드는 일을 하는 사람

6 무대 뒤에서는 다음 장면에 쓰일 소 품 을 준비하느라 바빴다.
연극이나 영화 등에서 무대 장치나 분장 등에 쓰는 작은 도구

54

4 문장 성분

문장 성분은 문장을 구성하는 부분이에요. 문장 성분으로는 주어, 목적어, 서술어 따위가 있어요.

 10일
월
일

나는 텔레비전을 본다.
주어   목적어   서술어

주어진 문장에서 주어, 목적어, 서술어를 찾아 써 보세요.

1 동생이 자장면을 먹는다.

주어	목적어	서술어
동생이	자장면을	먹는다

2 나는 방에서 책을 읽는다.

주어	목적어	서술어
나는	책을	읽는다

3 형은 텔레비전을 보고 나는 게임을 한다.

주어		목적어		서술어	
형은	나는	텔레비전을	게임을	보고	한다

4 부모님은 회사에 가시고 나는 학교에 간다.

주어		서술어	
부모님은	나는	가시고	간다

5 아빠는 청소를 하시고 엄마는 설거지를 하신다.

주어		목적어		서술어	
아빠는	엄마는	청소를	설거지를	하시고	하신다

55

5 주어와 서술어의 호응

문장을 쓸 때에는 주어와 서술어의 호응을 잘 생각해야 해요. 주어와 서술어의 호응이 맞지 않으면 어색한 문장이 되기 때문이에요. 특히 주어가 여러 개일 때 각각의 주어에 호응하는 서술어가 있는지 잘 살펴봐야 해요.

그녀는 <u>밥</u>을 <u>먹고</u> <u>커피</u>를 <u>마신다</u>.

✏️ 다음 문장을 바르게 고치려고 해요. 빈칸에 알맞은 낱말을 [보기]에서 찾아 활용하여 써 보세요.

> **보기**
> 먹다 불다 추다 내리다 뛰놀다 마시다 부르다 지저귀다

① 나는 아침마다 빵과 우유를 마신다.

⇨ 나는 아침마다 빵을 먹고 우유를 마신다 .

> **도움말▲** 주어진 답 외에 다른 활용형도 문장의 흐름이 어색하지 않다면 답이 될 수 있어요.

② 유정이가 무대에서 노래와 춤을 춘다.

⇨ 유정이가 무대에서 노래를 부르고 춤을 춘다 .

③ 숲속에는 토끼와 참새가 지저귀고 있습니다.

⇨ 숲속에는 토끼가 뛰놀고 참새가 지저귀고 있습니다.

④ 날이 갑자기 흐려지더니 바람과 비가 내린다.

⇨ 날이 갑자기 흐려지더니 바람이 불고 비가 내린다 .

56

---

6 부정적인 말과 호응하는 말 결코

'결코, 전혀'와 같은 낱말은 '안', '못'이 꾸며 주는 서술어나 '-지 않다, -지 못하다'와 같은 부정적인 서술어와 호응해요.

나는 **결코** 거짓말을 하지 **않았다**.

✏️ 밑줄 친 부분에 주의하며 빈칸에 알맞은 낱말을 써 보세요.

① 겨울이지만 날씨가 그 다 지 춥지 않다.
그러한 정도로는, 또는 그렇게까지는

② 예서는 수영을 별 로 좋아하지 않는 편이다.
이렇다 하게 따로

③ 나는 민우의 말을 도 저 히 이해할 수 없다.
아무리 하여도

④ 영희의 말은 전 혀 들어 본 적이 없는 내용이었다.
도무지, 완전히

⑤ 이 일을 혼자 해내는 것은 여 간 어려운 일이 아니다.
그 상태가 보통으로 보아 넘길 만한 것임을 나타내는 말

⑥ 선아가 민주를 놀린 것은 결 코 바른 행동이라고 생각하지 않는다.
어떤 경우에도 절대로

57

---

7 문장의 호응

✏️ 문장 성분의 호응 관계를 생각하며 밑줄 친 말을 알맞게 고쳐 써 보세요.

①
나는 아까 간식을 <u>먹는다</u>.
⇨ 먹었다

②
어제저녁에 강아지와 함께 산책을 <u>간다</u>.
⇨ 갔다

③
나는 어제 텔레비전을 한 시간 동안 <u>본다</u>.
⇨ 보았다

④
> **도움말▼** '씻으라고'와 호응하는 말은 '나'이므로 높임 표현을 쓰지 않아요.

어머니께서 나에게 손을 <u>씻으시라고</u> 하셨다.
⇨ 씻으라고

⑤
> **도움말** '하다'와 호응하는 말은 '우리'이므로 높임 표현을 쓰지 않아요.

선생님께서 우리에게 어려운 내용은 질문을 <u>하시라고</u> 하셨다.
⇨ 하라고

58

---

8 높임 표현

✏️ 밑줄 친 낱말에 '-시-'를 넣어 알맞은 높임 표현으로 고쳐 써 보세요.

① 아버지께서 주말마다 요리를 <u>한다</u>. ⇨ 하신다

② 선생님께서 손짓으로 나를 <u>부른다</u>. ⇨ 부르신다

③ 할아버지께서 아침마다 신문을 <u>읽는다</u>. ⇨ 읽으시다

④ 할머니께서 거실에서 텔레비전을 <u>본다</u>. ⇨ 보신다

✏️ 밑줄 친 낱말을 알맞은 높임말로 고쳐 써 보세요.

① 나는 할머니를 <u>데리고</u> 병원에 갔다. ⇨ 모 시 고

② 할머니께서 방에서 <u>잔다</u>. ⇨ 주 무 신 다

③ 할아버지께서 진지를 <u>먹는다</u>. ⇨ 잡 수 신 다

59

9 흉내 내는 말 주뼛주뼛

'주뼛주뼛'은 쑥스럽거나 부끄러워서 자꾸 주저하거나 머뭇거리는 모양이에요. '쭈뼛쭈뼛'은
'주뼛주뼛' 보다 센 느낌을 줘요.

밑줄 친 낱말을 따라 쓰고, 보다 큰 느낌을 주는 말을 빈칸에 써 보세요.

❶ 아기가 손을 | 곰 | 지 | 락 | 곰 | 지 | 락 | 움직인다.
　　　　　　몸을 계속 천천히 작게 움직이는 모양
　➡　　꼼지락꼼지락

❷ 두부를 | 슝 | 덩 | 슝 | 덩 | 잘라서 된장찌개에 넣었다.
　　　　연한 물건을 조금 큼직하고 거칠게 자꾸 빨리 써는 모양
　➡　　쑹덩쑹덩

　　　　　　　　　　　도움말 ▼ '절렁절렁'은 '큰 방울 따위가 자꾸 흔들리거나
　　　　　　　　　　　부딪쳐 울리는 소리'를 뜻하는 말이에요.
❸ 강아지 목에 달린 방울이 | 잘 | 랑 | 잘 | 랑 | 울린다.
　　　　작은 방울 따위가 자꾸 흔들리거나 부딪쳐 울리는 소리
　➡　　짤랑짤랑

❹ 언니는 책을 읽으며 | 질 | 금 | 질 | 금 | 눈물을 흘렸다.
　　　　액체 따위가 자꾸 조금씩 새어 흐르거나 나왔다 그쳤다 하는 모양
　➡　　찔끔찔끔

❺ 마침내 한 아이가 | 주 | 뼛 | 주 | 뼛 | 무대 앞으로 나섰다.
　　　　쑥스럽거나 부끄러워서 자꾸 주저하거나 머뭇거리는 모양
　➡　　쭈뼛쭈뼛

60

---

10 자주 쓰는 말 물 퍼붓듯

그림의 상황과 어울리도록 빈칸에 알맞은 말을 [보기]에서 찾아 써 보세요.

보기
물과 불　　물 쓰듯　　물로 보다　　물 퍼붓듯

❶
➡ 돈을 물 쓰듯 쓴다.
　　물건을 헤프게 쓰거나, 돈 따위를 마구 쓰며 낭비하다.

❷
도움말 ▼ '물 퍼붓듯'은 '말을 거침없이 내뱉다.'
라는 뜻도 있어요.
➡ 물 퍼붓듯 비가 내린다.
　　비가 몹시 세차게 내리다.

❸
➡ 다른 사람을 물로 보다 .
　　사람을 하찮게 보거나 쉽게 생각하다.

❹
➡ 두 아이는 물과 불 같은 사이이다.
　　서로 너그럽게 받아들이지 못하거나 맞서는 상태

61

---

11 （타교과 어휘） 수학

그림을 참고하여 빈칸에 알맞은 낱말을 보기에서 찾아 써 보세요.

보기
대칭　합동　대응각　대응변　대응점　선대칭 도형　점대칭 도형

위의 두 삼각형처럼 두 개의 도형이 크기와 모양이 서로 포개었을 때 꼭 맞는 것을
　합동　이라고 해요. 이때, 서로 겹쳐지는 꼭짓점을 　대응점　이라 하고, 서로
겹쳐지는 변을 　대응변　이라 하며, 서로 겹쳐지는 각을 　대응각　이라 해요.

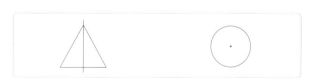

한 점이나 한 직선, 한 면을 사이에 두고 같은 거리에서 마주 보고 있는 일을 　대칭
이라고 해요. 어떤 직선을 접었을 때 완전히 겹쳐지는 도형을 선대칭 도형 이라 하고,
한 점을 중심으로 180° 돌렸을 때 처음 도형과 완전히 포개지는 도형을 점대칭 도형 이
라고 하지요.

62

주어진 낱말의 뜻을 참고하여 빈칸에 알맞은 낱말을 써 보세요.

- **초과**: 수량이나 정도가 일정한 기준을 넘음.
- **미만**: 수량이나 정도가 일정한 기준에 이르지 못함.
- **이상**: 수량이나 정도가 일정한 기준을 포함하여 그보다 많거나 나음.
- **이하**: 수량이나 정도가 일정한 기준을 포함하여 그보다 적거나 모자람.
도움말 ▲ 그 수를 포함하면 '이상, 이하'를 쓰고
그 수를 포함하지 않으면 '초과, 미만'을 써요.

❶ 4 | 초과 | 6 | 이하 | 인 자연수는 5, 6이다.

❷ 3 | 초과 | 7 | 미만 | 인 자연수는 4, 5, 6이다.

❸ 2 | 이상 | 5 | 미만 | 인 자연수는 2, 3, 4이다.

❹ 6 | 이상 | 8 | 이하 | 인 자연수는 6, 7, 8이다.

❺ 5세 | 이상 | 7세 | 이하 | 는 5세, 6세, 7세이다.

❻ 7세 | 초과 | 12세 | 미만 | 은 8세, 9세, 10세, 11세이다.

63

5장 여러 가지 매체 자료

국어 교과서 186~209쪽

1 매체 자료

사람들은 여러 가지 매체 자료를 통해 다양한 내용을 주고받아요. 상황에 알맞은 매체 자료를 활용하면 보다 효과적으로 내용을 전달할 수 있어요.

빈칸에 알맞은 낱말을 쓰고, 매체 자료로 알맞은 것을 찾아 연결해 보세요.

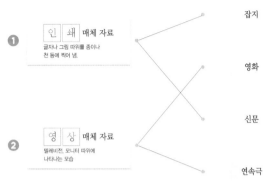

잡지

영화

신문

연속극

누리 소통망[SNS]

휴대 전화 문자 메시지

66

2 뜻이 여러 가지인 말 내놓다

밑줄 친 낱말의 알맞은 뜻을 찾아 번호를 써 보세요.

내놓다　① 물건을 밖으로 옮기거나 꺼내 놓다.
　　　　② 음식 따위를 대접하다.
　　　　③ 작품이나 상품 따위를 발표하거나 선보이다.
　　　　④ 생각이나 의견을 제시하다.

❶ 나는 친구들에게 새로운 계획을 내놓았다. ⇨ ④

❷ 우리 집을 찾은 손님에게 다과를 내놓았다. ⇨ ②

❸ 그 가수는 새로운 음반을 시장에 내놓았다. ⇨ ③

❹ 음식을 시켜 먹고 나서 빈 그릇을 대문 밖에 내놓았다. ⇨ ①

❺ 교육부는 학생들을 위한 여러 교육 정책을 내놓고 있다. ⇨ ④

❻ 밖으로 내놓은 짐들이 사라져 이곳저곳을 살펴보고 있다. ⇨ ①

❼ 최 작가는 이달에 세 번째 시집을 독자들에게 내놓을 예정이다. ⇨ ③

67

3 꾸며 주는 말 잠자코

밑줄 친 말을 한 낱말로 바꿔 써 보세요.

❶ 나는 거짓말을 해서 엄마에게 아주 몹시 혼이 났다. ⇨ 된통
　　　도움말▲ '된통'은 '되게'로도 쓸 수 있어요.

❷ 오랜만에 만난 친구는 전과 같이 멋있었다. ⇨ 여전히

❸ 착한 은호는 여간하여서는 화를 내는 법이 없다. ⇨ 좀처럼

❹ 그에게 말을 걸기 위해 거리가 멀지 않게 다가갔다. ⇨ 가까이

❺ 나는 그와 싸우기 싫어서 아무 말 없이 가만히 있었다. ⇨ 잠자코

❻ 동생은 침대에 눕자마자 바로 그 즉시에 잠이 들었다. ⇨ 곧바로

❼ 확실하지 아니하지만 짐작하건대 오늘 밤에 눈이 올지 몰라. ⇨ 어쩌면

68

4 십자말풀이

가로 열쇠

1. 환자의 몸 안에서 나는 소리를 듣는 데 쓰는 의료 기구
2. 어떤 내용이나 판단 따위가 진실인지 아닌지를 증거를 들어서 밝힘.
3. 드러나지 않은 사물이나 현상 따위를 찾아내거나 밝히기 위하여 살피어 찾음.
4. 개인의 사적인 일상생활
5. 구경하는 사람
6. 참고로 비교하고 대조하여 봄.

세로 열쇠

1. 의사가 환자를 진찰하는 방
2. 사건을 해결하는 능력이 뛰어나 이름이 널리 알려진 탐정
3. 생물이 물속에서 남. 또는 물속에서 삶.
4. 사냥하는 사람. 또는 사냥을 직업으로 하는 사람
5. 진리, 학문 따위를 파고들어 깊이 연구함.
6. 어떠한 사항이나 내용이 맞는지 관계되는 기관 등에 알아보는 일

69

5 외래어 표기 콘텐츠

🖊 다음 문장에서 외래어의 알맞은 표기를 찾아 ○표 하세요.

1 나는 상큼한 ((레모네이드) / 레몬에이드)를 좋아한다.
　　레몬즙에 물, 설탕, 탄산 따위를 넣어 만든 음료

2 나는 사탕보다, 부드러운 (카라멜 / (캐러멜))이 더 좋다.

3 나는 야생 동물에 관한 ((다큐멘터리) / 다큐멘타리)를 보았다.
　　실제로 있었던 일을 사실적으로 담은 영상물이나 기록물

> 도움말 ▼ 미라의 원래 발음은 [miːra]예요. 하지만 '장모음의 장음은 따로 표기하지 않는다.'라는 외래어 표기법의 규정에 따라 '미이라'라고 쓰지 않고 '미라'라고 써요.

4 유적지에서 발견된 ((미라) / 미이라)가 박물관에 보관되고 있다.
　　썩지 않고 원래 상태에 가까운 모습으로
　　남아 있는 인간이나 동물의 사체

5 이번 ((패션쇼) / 페션쇼)에서는 감각이 뛰어난 옷들이 많이 보였다.

6 우리 학교는 누리집을 통하여 다양한 교육 (컨텐츠 / (콘텐츠))를 제공하고 있다.
　　인터넷이나 컴퓨터 통신 등을 통하여
　　제공되는 각종 정보나 그 내용물

7 (피겨 스케이팅 / (피겨 스케이팅)) 선수들이 빙판 위에서 다양한 기술을 선보였다.

70

---

6 형태는 같은데 뜻이 다른 말 수치

🖊 빈칸에 공통으로 들어갈 낱말을 써 보세요.

1 ┌ 소 식 ┐
① [　　] 이 끊긴 친구에게 반가운 연락이 왔다.
　　멀리 떨어져 있는 사람의 사정을 알리는 말이나 글
② 할아버지의 건강 비결은 [　　] 을 하는 것이다.
　　음식을 적게 먹음.

2 ┌ 입 장 ┐
① 그는 마침내 자신의 [　　] 을 밝혔다.
　　지금 자기가 놓여 있는 처지
② 이어서 신랑의 [　　] 이 있겠습니다.
　　장소 안으로 들어감.

3 ┌ 수 치 ┐
① 나는 내가 저지른 실수에 대해 [　　] 를 느꼈다.
　　매우 부끄럽거나 스스로 떳떳하지 못한 일
② 우리는 실험 결과로 얻어 낸 [　　] 를 기록하였다.
　　계산하여 얻은 값

4 ┌ 주 장 ┐
① 그녀는 우리 핸드볼 팀의 [　　] 을 맡고 있다.
　　운동 경기에서, 팀을 대표하는 선수
② 태수는 친구들에게 자신의 [　　] 을 끝까지 우겼다.
　　자기의 의견이나 이론

71

---

7 바꿔 쓸 수 있는 말 가엾다

🖊 밑줄 친 낱말과 바꿔 쓸 수 있는 낱말을 [보기]에서 찾아 알맞게 활용하여 써 보세요.

> **보기**
> 끝맺다　딱하다　두렵다　딱딱하다　접근하다　상심하다　훈련하다

> 도움말 ▼ '실망하다'는 '가지고 있거나 지키고 있던 것을 잃어버리다.'라는 뜻도 있어요.

1 이번 실수로 너무 실망하지 마라. ⇨ 상심하지
　　바라는 대로 되지 않아 섭섭해 하지

2 밤에 사람이 없는 골목길을 지나는 것이 겁난다. ⇨ 두렵다
　　무서워하는 마음이 생긴다.

3 친구들에게 나의 입장을 말하고 나니 속 시원하다. ⇨ 후련하다
　　답답한 마음이 풀려 흐뭇하고 가뿐하다.

4 불길이 더욱 거세져 소방관들이 다가가기 어려웠다. ⇨ 접근하기
　　어떤 대상 쪽으로 가까이 가기

> 도움말 ▼ '가엾다'는 '가엽다'로도 쓸 수 있어요.

5 새끼를 잃고 밥을 먹지 않는 어미 고양이가 가엾다. ⇨ 딱하다
　　마음이 아플 정도로 불쌍하다.

6 나는 꼭 연락을 달라고 부탁하는 것으로 편지를 마쳤다. ⇨ 끝맺었다
　　하던 일이나 과정을 끝냈다.

7 그는 항상 근엄한 표정을 하고 있어서 말을 걸기가 어렵다. ⇨ 딱딱한
　　표정이나 태도가 신중하고 무거운

72

---

8 기본형

> 낱말의 뜻을 알기 위해 국어사전을 찾으려면 낱말의 기본형으로 찾아야 해요. '기본형'은 형태가 바뀌는 낱말에서 기본이 되는 형태를 의미해요.

> 따라
> 따르니　활용형 → **따르다**
> 따르고　　　　　　기본형
> ⋮

🖊 밑줄 친 낱말의 기본형을 빈칸에 써 보세요.

> 도움말 ▼ '이르다'를 '일르다'로 쓰지 않도록 주의해야 해요.

1 나는 인영이에게 약속 장소를 일러 주었다. ⇨ 이르다

2 인터넷 게시판에 경준이를 칭찬하는 글이 올랐다. ⇨ 오르다

3 동생은 형보다 나를 더 따라 내가 많이 놀아 준다. ⇨ 따르다

4 내가 수진이의 전화번호를 불러 줄 테니 전화해 봐. ⇨ 부르다

5 롤러코스터의 속도가 너무 빨라 눈을 제대로 뜰 수 없었다. ⇨ 빠르다

6 이 문제를 어떻게 풀어야 할지 몰라 선생님께 질문을 했다. ⇨ 모르다

 더 알아두기 '르'가 모음으로 시작하는 말 앞에서 'ㄹㄹ'로 변하는 경우가 있어요. 따르다'에 '어'가 붙으면 '따라' 처럼 활용하지만 '부르다'는 '어'가 붙으면 '불러'처럼 활용해요.

73

9 잘못 쓰기 쉬운 말 터무니없다

✏️ 밑줄 친 낱말을 바르게 고쳐 써 보세요.

1 어떻게 친구를 <u>우렁할</u> 수 있니?
사람을 어리석게 보고 함부로
대하거나 놀림.
➡️ 우롱

2 동생의 말도 안 되는 거짓말에 <u>어의없다</u>.
일이 너무 뜻밖이어서
기가 막히는 듯하다.
➡️ 어이없다

> **도움말 ▲** '어이없다'는 '어처구니없다'로도 쓸 수 있어요.

3 나는 그 사진을 보고 놀라서 눈이 <u>휘둥그래졌다</u>.
➡️ 휘둥그레졌다

4 다른 사람의 물건을 함부로 쓰다니 <u>얼투당투않다</u>.
전혀 이치에 맞지 않다.
➡️ 얼토당토않다

5 동생은 내 말에 아무 <u>댓꾸</u>도 하지 않고 방을 나갔다.
남의 말에 반응하여 말을 하는 것
➡️ 대꾸

6 그런 <u>터무늬없는</u> 말을 곧이곧대로 믿은 내가 잘못이다.
황당하고 전혀 근거가 없는
➡️ 터무니없는

7 오늘은 조용하나 했는데 <u>왠걸</u>, 아이들이 더욱 시끄럽게 떠들고 있다.
전혀 뜻밖의 일에 놀라움을
나타내는 말
➡️ 웬걸

74

10 낱말 퀴즈

✏️ 빈칸에 알맞은 낱말을 주어진 글자 카드로 만들어 써 보세요.

> 자 음 모 과 심 효 부 함

1 혜연이는 자신의 피아노 연주 실력에 대한 **자부심** 이 크다.
자기 자신의 가치나 능력을 믿고
당당히 여기는 마음

2 나는 억울하게 **모함** 을 받아 다른 사람들의 눈총을 받았다.
나쁜 꾀로 남을 어려운 처지에 빠지게 함.

3 공포스러운 장면에 꼭 들어맞는 **효과음** 이 더해져 더욱 무섭게 느껴졌다.
장면의 실감을 더하기 위하여 넣는 소리

> 공 마 사 녀 자 역 냥 격

4 그녀는 이 모임에 들어올 **자격** 이 없다.
일정한 신분이나 지위를 얻기 위해
필요한 조건이나 능력

> **도움말 ▼** '역공'은 '힘을 다하여 공격함.'의 뜻으로 쓰이기도 해요.

5 상대 선수가 방심한 틈을 타서 **역공** 에 나섰다.
공격을 받던 편에서 거꾸로 맞받아 하는 공격

> **도움말 ▼** '마녀사냥'은 '마녀재판'이라고도 해요.

6 그의 잘못을 부풀려서 말하는 것은 **마녀사냥** 이 될 수 있다.
어떤 사람에게 없는 죄를 뒤집어씌우는
것을 비유적으로 이르는 말

75

11 (타교과 어휘) 사회

✏️ 다음 그림에 알맞은 낱말을 [보기]에서 찾아 써 보세요.

> **보기**
> 자격루   측우기   혼천의   앙부일구

1 혼천의
천체의 운행과 위치를
관측하던 장치

2 앙부일구
조선 시대에 사용하던 해시계

> **도움말 ▲** '앙부일구'는 '앙부일영' 이라고도 해요.

3 측우기
세계 최초의 비가 내린 양을
재는 기구

4 자격루
모인 물이 넘치면서 소리를 나게 해서
시간을 알리도록 만든 물시계

76

✏️ 빈칸에 알맞은 낱말을 써서 문장을 완성해 보세요.

1 제도의 **개 혁** 을 통해 사회의 질서를 바로잡았다.
제도나 기구 따위를 새롭게 뜯어고침.

2 두 나라는 오랜 기간 **통 상** 을 지속해 오고 있다.
나라들 사이에 서로 물건을 사고팔. 또는 그런 관계

3 그 범인은 주위 사람들의 **밀 고** 로 경찰에게 잡혔다.
남몰래 넌지시 일러바침.

4 다음 주에 각국의 대표들이 모여 **회 담** 을 할 예정이다.
어떤 문제를 가지고 관련된 사람들이
한자리에 모여 하는 토의

> **도움말 ▼** '탐관오리'는 '백성의 재물을 탐내어 빼앗는, 행실이 깨끗하지 못한 관리'를 이르는 말이에요.

5 탐관오리의 **횡 포** 가 극심하여 백성들의 원성이 높아졌다.
제멋대로 굴며 몹시 난폭함.

6 고을 **수 령** 은 굶주리는 백성들을 위해 쌀을 나눠 주었다.
각 고을을 맡아 다스리던 지방 관리

> **도움말 ▼** '방방곡곡'은 '모든 곳'을 이르는 말이에요.

7 나라를 지키기 위해 전국 방방곡곡에서 **의 병** 들이 일어섰다.
외적을 물리치기 위하여 백성들이 스스로 조직한 군대

77

6장 타당성을 생각하며 토론해요

📖 국어 교과서 210~231쪽

1 토론하기

다른 사람과 이야기를 나눌 때 의견이 엇갈리면 서로 근거를 들어 상대를 설득해야 해요. 이때, 근거로 제시하는 자료는 믿을 만해야 하고 출처가 정확해야 해요.

✏️ 다음은 토론에 대한 설명입니다. 빈칸에 알맞은 낱말을 [보기]에서 찾아 써 보세요.

> **보기**
> 논제 대립 설득 주장 경쟁적

토론은 의견이 ① 하는 ② 를 두고 찬성과 반대 양측이 상대를 ③ 하는 ④ 의사소통이에요. 토론의 목적은 참가자들의 ⑤ 이 맞서면서 최선의 결론에 이르는 것이에요.

[도움말▲] 경쟁적 의사소통인 '토론'과 달리 '토의'는 협력적 의사소통이에요.

① 생각이나 의견, 입장이 서로 반대되거나 맞지 않음. ⇨ 대립

② 토론이나 논의의 주제 ⇨ 논제

③ 잘 설명하거나 타일러서 이해시켜 따르게 함. ⇨ 설득

④ 이기거나 앞서려고 서로 겨루는. 또는 그런 것 ⇨ 경쟁적

⑤ 자기의 의견이나 이론 ⇨ 주장

80

2 주제별 어휘 토론

상대와 의견이 다를 때 토론을 하면 문제를 합리적으로 해결할 수 있어요. 토론을 할 때에는 타당한 근거를 들어 자신의 의견을 말해야 하고 상대의 의견을 경청해야 해요.

16일
월
일

✏️ 빈칸에 알맞은 낱말을 [보기]에서 찾아 써 보세요.

> **보기**
> 근거 반론 발언 자료 판정 타당성

① 찬성편은 반대편 주장에 대하여 **반론** 을 제기했다.
　　　　　　　다른 사람의 주장이나 의견에 반대하는 주장

② 이번 토론은 찬성편이 승리한 것으로 **판정** 이 났다.
　　　　　　　옳고 그름이나 좋고 나쁨을 구별하여 결정함.
　　　[도움말▼] '삼가다'는 '말이나 행동을 조심해서 하다.'라는 뜻이에요.
　　　'삼가하다'로 잘못 쓰지 않도록 주의해야 해요.

③ 토론의 논제에서 벗어난 **발언** 은 삼가 주시길 바랍니다.
　　　　　　　　　　말을 꺼내어 의견을 나타냄. 또는 그 말

④ 주장을 할 때에는 이를 뒷받침하는 충분한 **근거** 가 있어야 한다.
　　　　　　　　　　　어떤 일이나 의견 등에 그 근본이 됨. 또는 그런 까닭

⑤ 찬성편은 구체적인 **자료** 를 제시하여 자신들의 주장을 뒷받침했다.
　　　　　　　　　연구나 조사를 하는 데 기본이 되는 재료

⑥ 그의 주장은 **타당성** 이 부족했기 때문에 다른 이들의 동의를 얻지 못했다.
　　　사물의 이치에 맞아 올바른 성질

81

3 띄어쓰기 수, 채

'수'나 '채' 따위처럼 의미가 형식적이어서 다른 말 아래에 기대어 쓰이는 말이 있어요. 이러한 말은 앞말과 띄어 써야 해요.

문제가 생길✓수 있다.　　　　책을 든✓채로 잠이 들었다.

✏️ 다음 문장을 주어진 횟수에 따라 바르게 띄어 써 보세요.

① 그의진심을알수가없다. (4회)

그의		진심을		알		수가		없다.		

　　　[도움말▼] '밖에'는 '그것 말고는', '그것 이외에는'의
② 손을깨끗이씻는수밖에없다. (4회) 뜻으로 반드시 뒤에 부정을 나타내는 말이 와요.

손을		깨끗이		씻는		수밖에		없다.		

③ 그녀는고개를숙인채말했다. (4회)

그녀는		고개를		숙인		채		말했다.		

④ 나는아침을거른채학교에갔다. (5회)

나는		아침을		거른		채		학교에		갔다.

⑤ 일을하다보면실수할수도있다. (5회)

일을		하다		보면		실수할		수도		있다.

⑥ 그는옷을입은채로물에들어갔다. (5회)

그는		옷을		입은		채로		물에		들어갔다.

82

4 낱말 퀴즈

✏️ 밑줄 친 부분의 글자 순서를 바르게 고쳐 써 보세요.

16일
월
일

① 이 영화는 많은 론가평으로부터 호평을 받았다. ⇨ 평론가
　　　　　　평가하여 말하는 일을 전문으로 하는 사람
　　　　[도움말▲] '비평가'는 '평론가'와 같은 말이에요.

② 교내 기표투인에서 민준이가 일등을 차지했다. ⇨ 인기투표
　　　　투표를 통하여 인기의 순위를 정하는 일

③ 몸이 아프고 보니 운동의 요성필을 절실히 느꼈다. ⇨ 필요성
　　　　　　　　　　반드시 요구되는 성질

④ 그는 남다른 도력지을 발휘하여 사람들을 이끌었다. ⇨ 지도력
　　　어떤 목적이나 방향으로 남을 가르쳐 이끌 수 있는 능력

⑤ 일은 역시 그 분야의 문전가에게 맡기는 것이 좋다. ⇨ 전문가
　　　　　　　　어떤 분야에 많은 지식과 경험을 가지고 있는 사람

⑥ 혜윤이는 임책감이 강해 자신의 일을 남에게 미루지 않는다. ⇨ 책임감
　　　　　　맡아서 해야 할 일이나 의무를 중히 여기는 마음

⑦ 학생들 사이에 감화위을 느끼게 하는 행동은 하지 말아야 ⇨ 위화감
　한다. 서로 어울리지 않고 어설픈 느낌

83

5 뜻을 더하는 말 -적

'-적'은 다른 말에 붙어 '그 성격을 띠는', '그에 관계된', '그 상태로 된'의 뜻을 더하는 말이에요.

밑줄 친 말을 한 낱말로 바꿔 써 보세요.

❶ 그녀는 <u>실제적이고 자세한</u> 사례를 들어 설명했다. ⇨ 구 세 적

❷ 그녀는 <u>예로부터 이어져 내려오는</u> 방법으로 술을 담갔다. ⇨ 전 통 적

❸ 어른들이 <u>본받아 배울 만한</u> 태도를 보이면 아이들이 따라 할 것이다. ⇨ 모 범 적

❹ 그는 자연재해로 <u>중간에 끼이는 것 없이 바로 관계된</u> 피해를 입었다. ⇨ 직 접 적

도움말▲ '간접적'은 '직접적'과 뜻이 반대인 말이에요.

❺ 그녀는 <u>겉으로 나타나 보이는 모양을 위주로 하는</u> 절차대로 일을 진행했다. ⇨ 형 식 적

❻ 폭력적 장면이 많은 영화는 학생들에게 <u>바람직하지 못한</u> 영향을 줄 수 있다. ⇨ 부 정 적

도움말▲ '긍정적'은 '부정적'과 뜻이 반대인 말이에요.

❼ 이수는 서하의 의견에 대해 <u>옳고 그름을 밝히거나 잘못된 점을 지적하는</u> 태도를 보였다. ⇨ 비 판 적

84

6 형태는 같은데 뜻이 다른 말 불법

빈칸에 공통으로 들어갈 낱말을 써 보세요.

❶ 시 장
① 점심을 건너뛰었더니 몹시 □□했다. 배가 고픔.
② □□에 가서 반찬거리와 과일을 샀다. 여러 가지 상품을 사고파는 일정한 장소

도움말▲ '시장'은 '시를 다스리는 최고 책임자'라는 뜻도 있어요.

도움말▼ '중생'은 '불교에서, 모든 살아 있는 무리'를 이르는 말이에요.

❷ 불 법
① 스님이 중생들에게 □□을 말하고 계신다. 부처의 가르침
② 길가에 □□ 주차된 차로 통행이 불편하다. 법에 어긋남.

❸ 대 비
① 언니는 밤늦게까지 시험 □□에 힘을 쏟았다. 앞으로 일어날 수 있는 어떤 일에 대한 준비
② 두 가지를 □□ 해 보고 마음에 드는 것을 골라라. 두 가지의 차이를 알아보기 위해 서로 비교함.

❹ 의 사
① □□는 환자를 치료하기 위해 최선을 다했다. 병을 고치는 것을 직업으로 하는 사람
② 자신의 □□를 분명하게 표현할 수 있어야 한다. 무엇을 하고자 하는 생각

85

7 뜻이 여러 가지인 말 번지다

밑줄 친 낱말의 알맞은 뜻을 찾아 번호를 써 보세요.

번지다
① 액체가 묻어서 차차 넓게 젖어 퍼지다.
② 병이나 불, 전쟁 따위가 차차 넓게 옮아가다.
③ 말이나 소리 따위가 널리 옮아 퍼지다.
④ 빛, 기미, 냄새 따위가 바탕에서 차차 넓게 나타나거나 퍼지다.

❶ 그녀의 입가에 엷은 웃음이 <u>번졌다</u>. ⇨ ④

도움말▼ '전염병'은 '남에게 옮아갈 수 있는 병들을 통틀어 이르는 말'이에요.

❷ 온 나라에 전염병이 <u>번져</u> 거리에 사람이 없다. ⇨ ②

❸ 풀독이 몸 전체에 <u>번진</u> 상태여서 치료가 어렵다. ⇨ ②

❹ 소민이에 대한 나쁜 소문이 학교 전체에 <u>번졌다</u>. ⇨ ③

❺ 종이 위에 잉크가 <u>번져</u> 글씨가 잘 보이지 않는다. ⇨ ①

❻ 돌부리에 걸려 넘어졌는데 바지 위로 피가 <u>번졌다</u>. ⇨ ①

❼ 달콤한 케이크를 굽는 냄새가 온 집 안으로 <u>번졌다</u>. ⇨ ④

86

8 성질이나 상태를 나타내는 말 뜻깊다

밑줄 친 말을 한 낱말로 바꿔 써 보세요.

❶ 이렇게 <u>가치나 중요성이 큰</u> 자리에 초대해 주셔서 감사합니다. ⇨ 뜻 깊 은

❷ 이 공원은 우리 동네에 있는 <u>오직 하나밖에 없는</u> 공원이다. ⇨ 유 일 한

❸ 이 도서관에는 <u>종류, 내용 등이 여러 가지로 많은</u> 책들이 있다. ⇨ 다 양 한

❹ 오랜만에 듣는 노래가 전과 달리 <u>생생하고 산뜻하게 느껴지는</u> 맛이 있다. ⇨ 새 롭 다

❺ 그 말을 바르지 못하고 <u>조금 비뚤어지게</u> 생각할 필요는 없다. ⇨ 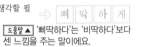 삐 딱 하 게

도움말▲ '삐딱하다'는 '비딱하다'보다 센 느낌을 주는 말이에요.

❻ 이 표현은 <u>격식이나 규범, 관습 따위에 맞지 않아 자연스럽지 않다</u>. ⇨  어 색 하 다

❼ 이번 선거는 <u>한쪽으로 치우치지 않고 객관적이고 올바르게</u> 치러질 것입니다. ⇨ 공 정 하 게

87

9 헷갈리기 쉬운 말 거치다/걷히다

✎ 다음 문장에 어울리는 낱말을 찾아 ○표 하세요.

거치다	어떤 과정이나 단계를 겪거나 밟다.
걷히다	구름이나 안개 따위가 흩어져 없어지다.

❶ 안개가 (거치고 / (걷히고)) 날이 점점 좋아졌다.

❷ 이 문제는 학급 회의를 ((거쳐) / 걷혀) 해결하기로 하자.

❸ 학생들은 초등학교와 중학교를 ((거쳐) / 걷혀) 고등학교에 입학한다.

세다	수를 헤아리거나 꼽다.
새다	틈이나 구멍으로 조금씩 빠져 나가거나 나오다.

도움말 ▲ '새다'는 '날이 밝아오다.'라는 뜻으로도 쓰여요.

❹ 이 공은 바람이 (세니 / (새니)) 다른 공을 가져올게.

❺ 자율 학습을 신청한 학생의 수를 ((세어) / 새어) 보았다.

❻ 도시락 통에서 김칫국이 (세서 / (새서)) 가방에 물이 들었다.

❼ 돈이 얼마나 남았는지 지갑에서 지폐를 꺼내 ((세어) / 새어) 보았다.

88

10 행동을 당하는 말 바뀌다

움직임을 나타내는 말에 '-이-, -히-, -리-, -기-'를 붙여 행동을 당하는 말로 바꿀 수 있어요.

사냥꾼이 노루를 잡았다. → 노루가 사냥꾼에게 **잡혔다.**

✎ 밑줄 친 낱말을 문장에 어울리도록 행동을 당하는 말로 바꿔 써 보세요.

❶ 일가친척이 큰집에 모두 <u>모았다</u>. ⇨ 모였다

❷ 종혁이가 이번 학기 회장으로 <u>뽑았다</u>. ⇨ 뽑혔다

❸ 도로가 <u>막아</u> 차가 꼼짝도 하지 않는다. ⇨ 막혀

❹ 형은 과학자에서 경찰로 꿈이 <u>바꾸었다</u>. ⇨ 바뀌었다

도움말 ▲ '바뀌었다'를 '바꼈다'로 쓰지 않도록 주의해야 해요.

❺ 나는 다른 사람의 생각에 마구 <u>휘둘렀다</u>. ⇨ 휘둘렸다

❻ 컴퓨터 게임에 소중한 시간을 <u>빼앗고</u> 말았다. ⇨ 빼앗기고

❼ 나는 맛있는 냄새에 <u>이끌어</u> 식당으로 들어갔다. ⇨ 이끌려

89

11 타교과 어휘 과학

✎ 빈칸에 알맞은 낱말을 써서 문장을 완성해 보세요.

❶ 토양의 성분을 분석 하여 보고서를 작성하였다.
물질의 성분, 구성 등을 따져서 밝힘.

❷ 지시약 의 색깔 변화를 통해 물질의 성질을 파악해 보았다.
화학 반응의 결과를 판별하는 약품

❸ 가스 누출 은 큰 사고로 이어질 수 있으므로 항상 조심해야 한다.
액체나 기체 따위가 밖으로 새어 나옴.

❹ 이 물건에 강한 충격 을 가하면 고장이 날 수 있으므로 주의하세요.
물체에 급격히 가하여 지는 힘

❺ 사고를 예방하기 위해 도로 곳곳에 안전장치 가 설치되어 있습니다.
부주의로 인한 위험을 막기 위한 장치

도움말 ▼ '자동계단'은 '에스컬레이터'와 같은 말이에요.

❻ 자동계단 위에서는 걷거나 뛰지 마시고 손잡이를 꼭 잡아 주십시오.
사람이나 화물이 자동적으로 위아래 층으로
오르내릴 수 있도록 만든 계단 모양의 장치

❼ 우리 시에서는 환경 오염원 을 철저히 관리하여 환경 오염을 줄일 것이다.
환경 오염의 원인이 되는 것

90

✎ 빈칸에 알맞은 낱말을 글자 카드로 만들어 써 보세요.

점	진	병	동	제	엔	적

❶ 자전거 브레이크의 제동 기능이 떨어져 수리를 맡겼다.
기계나 자동차 따위의 운동을 멈추게 함.

❷ 이 자동차는 엔진 의 힘이 좋아 오르막길도 가뿐하게 달린다.
열에너지, 전기 에너지 따위를 기계적인 힘으로 바꾸는 장치

❸ 점적병 에 담긴 용액을 시험지에 한두 방울씩 떨어뜨려 보았다.
약물이나 액즙 따위의 분량을 한 방울씩 떨어뜨려서 헤아리는 기구

✎ 주어진 뜻을 참고하여 빈칸에 알맞은 글자를 써 보세요.

❶ ㉠ 위산이 너무 많아 발병한 증상들을 치료하는 약
㉡ 천 따위에 들어 있는 색소를 없애는 약품

㉠제
산
표백제㉡

도움말 ▼ '1초를 단위로 하여 잰 속도'는 '초속'이라 하고
'1분을 단위로 하여 잰 속도'는 '분속'이라 해요.

❷ ㉠ 1시간을 단위로 하여 잰 속도
㉡ 속도의 크기. 또는 속도를 이루는 힘

㉠시
속력㉡

91

7장 중요한 내용을 요약해요

📖 국어 교과서 232~271쪽

1 꾸며 주는 말 짐짓

✏️ 빈칸에 알맞은 낱말을 [보기]에서 찾아 써 보세요.

보기

| 새삼 | 유독 | 줄곧 | 짐짓 | 단연코 | 모조리 | 쏜살같이 |

❶ [유독] 선희에게만 행운이 자꾸 일어난다.
　　　많은 것 가운데 홀로 두드러지게

❷ 나는 대영이의 노래 솜씨에 [새삼] 놀랐다.
　　　　　　　　　이전의 느낌이나 감정이 다시 새롭게

❸ 집 안에 있는 창문을 [모조리] 열어 환기를 시켰다.
　　　　　　　　하나도 빠짐없이 모두

❹ 나는 겨울 방학 동안 [줄곧] 할머니 댁에서 지냈다.
　　　　　　　　끊임없이 계속

📌도움말▼ '단연코'는 '단연'으로도 쓸 수 있어요.

❺ 늘 그랬듯이 달리기 시합에서 1등을 한 것은 [단연코] 민기였다.
　　　　　　　　　　　　확실히 단정할 만하게

❻ 현관을 열자 우리 집 강아지가 [쏜살같이] 달려 나와 나에게 안겼다.
　　　　　　　　　　　쏜 화살과 같이 매우 빠르게

❼ 채희는 자신이 상 받는 것을 미리 알았지만 [짐짓] 놀라는 표정을 지었다.
　　　　　　　　　　　　　　　마음과 다르게 일부러

94

2 잘못 쓰기 쉬운 말 -이, -히

✏️ 밑줄 친 부분에 '이'나 '히'를 넣어 문장에 알맞은 낱말을 써 보세요.

❶ 오래된 한옥이 굉장 [?] 멋스럽다.
　　　　　　아주 크고 훌륭하게
　　→ | 굉 | 장 | 히 |

📌도움말▼ '-이'나 '-히'가 붙는 말은 여러 번 읽고 쓰며 확실하게 익히도록 해요.

❷ 날이 추워서 옷을 겹겹 [?] 껴입었다.
　　　　　　여러 겹으로
　　→ | 겹 | 겹 | 이 |

❸ 나는 단짝에게 내 고민을 솔직 [?] 털어놓았다.
　　　　　　거짓이나 숨김이 없이 바르고 곧게
　　→ | 솔 | 직 | 히 |

❹ 누나가 고장이 난 가방을 멀쩡 [?] 고쳐 주었다.
　　　　　　흠이 없고 아주 온전한 상태로
　　→ | 멀 | 쩡 | 히 |

❺ 허리를 꼿꼿 [?] 세우고 앉아야 바른 자세가 된다.
　　　　　　휘거나 구부러지지 아니하고 곧게
　　→ | 꼿 | 꼿 | 이 |

❻ 그는 무슨 고민이 있는지 나직 [?] 한숨을 쉬었다.
　　　　　　소리가 꽤 낮게
　　→ | 나 | 직 | 이 |

❼ 내가 먼저 사과를 했는데도 그는 여전 [?] 화를 냈다.
　　　　　　전과 같이
　　→ | 여 | 전 | 히 |

❽ 모르는 부분을 반복해서 공부했더니 완전 [?] 이해되었다.
　　　　　　모두 갖추어져 모자람이나 흠이 없이
　　→ | 완 | 전 | 히 |

95

3 형태는 같은데 뜻이 다른 말 고개

✏️ 빈칸에 공통으로 들어갈 낱말을 써 보세요.

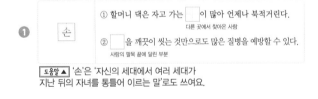

❶ [손]
　① 할머니 댁은 자고 가는 [　] 이 많아 언제나 북적거린다.
　　　　　　　다른 곳에서 찾아온 사람
　② [　] 을 깨끗이 씻는 것만으로도 많은 질병을 예방할 수 있다.
　　　　사람의 팔목 끝에 달린 부분

📌도움말▲ '손'은 '자신의 세대에서 여러 세대가 지난 뒤의 자녀를 통틀어 이르는 말'로도 쓰여요.

❷ [탈]
　① 배우들이 온갖 동물의 [　] 을 뒤집어쓰고 공연을 한다.
　　　　　　　나무, 종이 따위로 만들어 얼굴에 쓰는 물건
　② 모두의 노력으로 별 [　] 없이 학교 행사를 마치게 되었다.
　　　　　　뜻밖에 일어난 걱정할 만한 사고

❸ [고 개]
　① 가파른 [　] 를 넘고 나니 한동안 평지가 이어졌다.
　　　　산이나 언덕을 넘어 다니도록 길이 나 있는 곳
　② 나는 [　] 를 뒤로 젖히고 하늘에 뜬 별을 바라보았다.
　　　　목의 뒷등이 되는 부분

❹ [최 고]
　① [　] 가 되는 것보다 최선을 다하는 것이 더 중요하다.
　　　으뜸인 것 또는 으뜸이 될 만한 것
　② 직지심체요절은 세계 [　] 의 금속 활자로 인쇄된 책이다.
　　　　　　가장 오래됨.

96

4 흉내 내는 말 가닥가닥

✏️ 밑줄 친 부분의 글자 순서를 바르게 고쳐 써 보세요.

❶ 언니는 티셔츠를 서랍에 <u>곡곡차차</u> 넣었다.
　　　　물건을 가지런히 겹쳐 쌓거나 포개는 모양
　　→  | 차 | 곡 | 차 | 곡 |

❷ 약속 시간에 늦을까 봐 <u>둥둥허지</u> 집을 나섰다.
　　　　이리저리 헤매며 다급하게 서두르는 모양
　　→  | 허 | 둥 | 지 | 둥 |

❸ 주방장은 양파 껍질을 <u>렁훌훌렁</u> 벗기고 있었다.
　　　　속이 시원하게 드러나도록 완전히 벗어지거나 뒤집히는 모양
　　→ | 훌 | 렁 | 훌 | 렁 |

❹ 화단에 다양한 꽃들이 <u>달록알록</u> 예쁘게 피었다.
　　　　여러 가지 밝은 빛깔의 무늬나 얼룩 따위가 고르지 않게 있는 모양
　　→ | 알 | 록 | 알 | 록 |

📌도움말▲ '얼룩덜룩'은 '여러 가지 어두운 빛깔의 무늬나 얼룩 따위가 고르지 않게 있는 모양'이에요.

❺ 찌개가 <u>글글부부</u> 끓는 것을 보니 입맛이 당겼다.
　　　　많은 양의 액체가 야단스럽게 잇따라 끓는 소리 또는 모양
　　→ | 부 | 글 | 부 | 글 |

📌도움말▲ '보글보글'은 '적은 양의 액체가 잇따라 야단스럽게 끓는 소리 또는 모양'을 나타내는 말이에요.

❻ 언니가 내 머리를 <u>닥가닥가</u> 나누어 땋아 주었다.
　　　　여러 가닥으로 갈라진 모양
　　→  | 가 | 닥 | 가 | 닥 |

❼ 주인장은 수조에서 횟감을 <u>찰찰방방</u> 건져 올렸다.
　　　　조금 묵직한 물체가 물에 자꾸 거칠게 부딪치는 소리
　　→ | 찰 | 방 | 찰 | 방 |

97

5 주제별 어휘 옛 물건

다음 그림에 알맞은 낱말을 [보기]에서 찾아 써 보세요.

보기

| 요강 | 망태기 | 표주박 | 반짇고리 |

❶ 요강
방에 두고 오줌을 누는 그릇

❷ 망태기
물건을 담아 들거나 어깨에 메고
다닐 수 있도록 만든 그릇

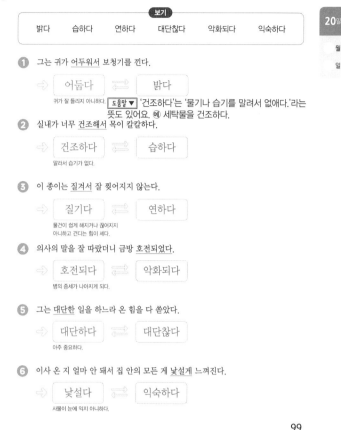

❸ 표주박
조롱박이나 둥근 박을 반으로 쪼개어
만든 작은 바가지

❹ 반짇고리
바늘, 실, 골무, 헝겊 따위의 바느질
도구를 담는 그릇

도움말▲ '반짇고리'는 '바느질고리'
라고도 써요.

98

6 뜻이 반대인 말 건조하다/습하다

밑줄 친 낱말의 기본형을 쓰고, 뜻이 반대인 낱말을 [보기]에서 찾아 써 보세요.

보기

| 밝다 | 습하다 | 연하다 | 대단찮다 | 악화되다 | 익숙하다 |

20일
월
일

❶ 그는 귀가 어두워서 보청기를 낀다.
⇨ 어둡다 ⇌ 밝다
귀가 잘 들리지 아니하다.

도움말▼ '건조하다'는 '물기나 습기를 말려서 없애다.'라는
뜻도 있어요. 예 세탁물을 건조하다.

❷ 실내가 너무 건조해서 목이 칼칼하다.
⇨ 건조하다 ⇌ 습하다
말라서 습기가 없다.

❸ 이 종이는 질겨서 잘 찢어지지 않는다.
⇨ 질기다 ⇌ 연하다
물건이 쉽게 해지거나 끊어지지
아니하고 견디는 힘이 세다.

❹ 의사의 말을 잘 따랐더니 금방 호전되었다.
⇨ 호전되다 ⇌ 악화되다
병의 증세가 나아지게 되다.

❺ 그는 대단한 일을 하느라 온 힘을 다 쏟았다.
⇨ 대단하다 ⇌ 대단찮다
아주 중요하다.

❻ 이사 온 지 얼마 안 돼서 집 안의 모든 게 낯설게 느껴진다.
⇨ 낯설다 ⇌ 익숙하다
사물이 눈에 익지 아니하다.

99

7 성질이나 상태를 나타내는 말 꽁하다

밑줄 친 말을 한 낱말로 바꿔 써 보세요.

❶ 그는 성격이나 행동이 철저하고 까다로운 부모님의
가르침으로 바르게 자랐다.
⇨ 엄 한

❷ 시영이는 원래 마음이 좁고 너그럽지 못해서 곧잘
삐친다.
⇨ 꽁 해 서

❸ 언니는 자극에 대한 반응이나 감각이 지나치게 날카
로워서 잠에서 자주 깼다.
⇨ 예 민 해 서
도움말▲ '무디다'는 '예민하다'와
뜻이 반대인 말이에요.

❹ 민희가 나를 쏘아보는 눈초리가 아주 겁이 날 만큼
사나웠다.
⇨ 매 서 웠 다

❺ 그녀는 성격이 까다로울 만큼 빈틈이 없어서 모든
일을 완벽하게 한다.
⇨ 깐 깐 해 서

❻ 남을 괜히 미워하고 괴롭히려고 하는 짓궂은 준범이
는 다른 아이들을 못살게 군다.
⇨ 심 술 궂 은

100

8 바꿔 쓸 수 있는 말 역력하다

밑줄 친 낱말과 바꿔 쓸 수 있는 낱말을 [보기]에서 찾아 알맞게 활용하여 써 보세요.

보기

| 쓰리다 | 기절하다 | 나란하다 | 노력하다 | 분명하다 | 수정하다 |

20일
월
일

도움말▼ '아릿하다'는 '아리다'와도 바꿔 쓸 수 있어요.
❶ 그 아이만 생각하면 내 가슴이 아릿하다. ⇨ 쓰리다
조금 고통스러운 느낌이 있다.

❷ 그는 그녀의 마음을 얻기 위해 애썼다. ⇨ 노력했다
마음과 힘을 다하여 무엇을
이루려고 힘썼다.

도움말▼ '까무러치다'는 '가무러치다'보다
센 느낌을 주는 말이에요.
❸ 나는 그 소문을 듣고 놀라 까무러칠 뻔했다. ⇨ 기절할
얼마 동안 정신을 잃고 죽은 사람처럼 될

❹ 이 건물은 부실 공사를 한 흔적이 역력하다. ⇨ 분명하다
감정이나 모습, 기억 따위가 환히
알 수 있게 또렷하다.

❺ 이 두 길은 평행하게 이어지다가 다시 만난다. ⇨ 나란하게
나란히 가게

❻ 그는 과제를 내기 전에 맞춤법을 꼼꼼하게 손보았다. ⇨ 수정했다
흠이 없도록 잘
매만지고 고쳤다.

101

9 합쳐진 말 볼주머니

낱말 카드를 왼쪽에서 하나, 오른쪽에서 하나씩 꺼내 뜻에 알맞은 낱말을 만들어 보세요.

① 잎이 줄기에 배열되어 있는 모양 ⇨ 잎차례

② 짚이나 나무를 태운 재를 우려낸 물 ⇨ 잿물

③ 차를 마실 때에 찻잔을 올려놓는 상 ⇨ 찻상

④ 가오리 모양으로 만들어 꼬리를 길게 단 연 ⇨ 가오리연

⑤ 벼루, 먹, 붓, 연적 따위를 넣어 두는 납작한 상자 ⇨ 벼룻집

도움말▲ '벼룻집'은 '벼루, 먹, 붓, 연적 따위를 담아 두는 작은 책상'이라는 뜻도 있어요.

⑥ 다람쥐나 원숭이 따위의 볼 안에 있는, 먹이를 저장하는 주머니 ⇨ 볼주머니

더 알아두기 합쳐진 말을 이루는 낱말 중 적어도 하나가 순우리말일 때에, 원래에는 없었던 된소리가 나거나 'ㄴ' 소리가 덧나면 사이시옷을 받쳐 적어요. 단, 뒤에 된소리나 거센소리로 시작하는 말이 오면 사이시옷을 쓰지 않아요.

---

10 한자어 고난도

밑줄 친 낱말에 공통으로 쓰인 한자를 찾아 ○표 하세요.

① 그는 고난도 기술을 선보였다.
어려움의 정도가 매우 큼. 또는 그런 것

소음은 난청의 원인이 될 수 있다.
청력이 저하 또는 손실된 상태

모두가 힘을 합쳐 난관을 극복했다.
일을 하면서 부딪치는 고비

① 暖 따뜻할 난 ② 卵 알 난 ③ 難 어려울 난 ④ 亂 어지러울 난

② 상처가 난 부분에 염증이 생겼다.
몸의 일부분이 붓고 곪는 것

마취에서 깨어나니 심한 통증이 느껴졌다.
아픔

밥을 먹고 나서 체증이 생겨 소화제를 먹었다.
먹은 음식이 잘 소화되지 아니하는 것

① 增 더할 증 ② 症 증세 증 ③ 證 증거 증 ④ 曾 일찍 증

③ 그는 천재적인 예술가이다.
예술을 직업으로 하는 사람

건축가는 벽돌로 집을 지었다.
건축 기술을 가진 사람

무용가는 무대 위에서 멋진 춤 동작을 선보였다.
무용을 전문적으로 하는 사람

① 可 옳을 가 ② 加 더할 가 ③ 價 값 가 ④ 家 집 가

---

11 올바른 발음 붉다[북따]

밑줄 친 낱말의 알맞은 발음을 찾아 ○표 하세요.

① 내 동생은 여덟 살이다. ⇨ (여덜) [여덥]

② 이 책은 두께가 매우 얇다. ⇨ (얄:따) [얍:따]

③ 감이 덜 익었는지 맛이 떫다. ⇨ (떨:따) [떱:따]

④ 우리 오빠는 얼굴이 넓둥글다. ⇨ [널뚱글다] (넙뚱글다)

⑤ 그는 손이 두툼하고 넓적하다. ⇨ [널쩌카다] (넙쩌카다)

⑥ 실수로 다른 사람의 발을 밟다. ⇨ [발:따] (밥:따)

⑦ 토끼는 앞다리가 뒷다리보다 짧다. ⇨ (짤따) [짭따]

더 알아두기 겹받침 'ㄼ'이 말의 끝이나 자음자 앞에 올 때에는 [ㄹ]로 발음돼요. 하지만 '밟'이 자음자 앞에 올 때에는 [밥]으로 발음되고, '넓적하다'와 '넓둥글다'는 '넓'이 [넙]으로 발음되지요.

---

12 낱말 퀴즈

주어진 뜻을 참고하여 빈칸에 알맞은 글자를 써 보세요.

① ㉠ 상식으로는 생각할 수 없는 기이한 일
㉡ 누가 있을 줄을 짐작하게 하는 소리나 표시

기	적
척	

② ㉠ 일을 해 나가는 데에 방해되는 장애물을 비유적으로 이르는 말
㉡ 매우 훌륭한 작품

걸	림	돌
	작	

도움말▲ '걸작'은 '우스꽝스럽거나 유별나서 남의 주목을 끄는 사물이나 사람'이라는 뜻으로도 쓰여요.

③ ㉠ 얼굴, 머리, 옷차림 따위를 곱게 꾸밈.
㉡ 죽은 사람을 땅에 묻거나 화장하기까지의 의식

단	장
례	
식	

④ ㉠ 다른 것을 모방하지 않고 처음으로 만들어 내는. 또는 그런 것
㉡ 책, 신문, 잡지 따위의 글을 읽는 사람

독	창	적
자		

13 뜻이 여러 가지인 말 삼다

✏️ 밑줄 친 낱말의 알맞은 뜻을 찾아 그 번호를 써 보세요.

삼다	① 어떤 사람을 자기와 관계있는 사람으로 만들다. ② 무엇을 어떤 일의 수단이나 근거로 이용하다. ③ 무엇을 무엇으로 가정하다.

1 진욱이는 위기를 기회로 삼았다. ⇨ ②

2 그녀는 친구의 아들을 사위로 삼았다. ⇨ ①

3 그는 아들을 친구 삼아 이야기를 나누곤 한다. ⇨ ③

간추리다	① 흐트러진 것을 가지런히 바로잡다. ② 글 따위에서 중요한 점만을 골라 간략하게 정리하다.

4 나는 책상 위의 책들을 간추려 가방 안에 넣었다. ⇨ ①

5 내가 읽은 책의 내용을 간추려 보면 다음과 같다. ⇨ ②

도움말 ▲ '간추리다'는 '요약하다'와 바꿔 쓸 수 있어요.

가로지르다	① 양쪽 사이에 기다란 막대나 줄 따위를 가로 놓거나 꽂다. ② 어떤 곳을 가로 등의 방향으로 질러서 지나다.

6 나는 공원을 가로질러 학교에 간다. ⇨ ②

7 그는 가족들이 모두 집에 들어오자 대문에 빗장을 가로질렀다. ⇨ ①

106

---

14 헷갈리기 쉬운 말 메기다/매기다

✏️ 주어진 뜻을 참고하여 문장에 어울리는 낱말을 찾아 ○표 하세요.

바라다	생각이나 바람대로 어떤 일이 이루어지기를 기대하다.
바래다	볕이나 습기를 받아 색이 변하다.

1 오래 신은 운동화가 흐릿하게 색이 (바랐다 / (바랬다)).

도움말 ▲ '바래다'는 '가는 사람을 일정한 곳까지 배웅하거나 바라보다.' 라는 뜻으로도 쓰여요. 예 제가 정류장까지 바래다 드릴게요.

2 요행을 ((바라지) / 바래지) 말고 매 순간 최선을 다해라.

3 누렇게 (바란 / (바랜)) 벽지를 뜯어내고 페인트칠을 했다.

4 그녀는 부모님이 건강하게 오래오래 사시기를 ((바랐다) / 바랬다).

메기다	두 편이 노래를 주고받고 할 때 한편이 먼저 부르다.
매기다	일정한 기준에 따라 사물의 값이나 등수 따위를 정하다.

5 상인은 상품의 품질에 따라 값을 (메겼다 / (매겼다)).

6 그들이 앞소리를 ((메기고) / 매기고) 우리가 뒷소리를 이었다.

7 선생님께서 시험 성적으로 아이들의 등수를 (메기고 / (매기고)) 계신다.

107

---

15 타교과 어휘 도덕

✏️ 빈칸에 알맞은 낱말을 써서 문장을 완성해 보세요.

1 사람은 [양][심] 에 따라 올바른 행동을 해야 한다.
사물이나 자신의 행위에 대해 옳고 그름의
판단을 내리는 도덕적 의식

2 그녀는 불평등한 법 [개][정] 을 위해 평생을 힘썼다.
주로 문서의 내용 따위를 고쳐 바르게 함.

3 불공정한 판정을 내린 심판에게 관중들은 [야][유] 를 보냈다.
남을 비웃으며 놀림. 또는 그런 말이나 몸짓

4 위기 상황일수록 [이][성] 을 잃지 말고 올바른 판단을 해야 한다.
올바른 지식과 가치를 통해 논리적으로
생각하고 판단하는 능력

5 제자들은 스승의 [가][르][침] 을 마음속에 깊이 새기고 실천했다.
도리나 지식, 사상, 기술 따위를 알게 함.
또는 그 내용

6 나는 내 능력의 [한][계] 를 넘어서는 도전을 해 보기로 결심했다.
사물이나 능력, 책임 따위가 실제로
영향을 미칠 수 있는 범위

도움말 ▼ '신념'은 '소신'과 바꿔 쓸 수 있어요.

7 나는 남의 의견에 휘둘리지 않고 나의 [신][념] 대로 행동할 것이다.
굳게 믿는 마음

108

✏️ 빈칸에 알맞은 낱말을 글자 카드로 만들어 써 보세요.

관	억	무	대	심	압	변

도움말 ▼ '억압'은 '강압', '구속' 따위와 바꿔 쓸 수 있어요.

1 그들은 마침내 모든 [억압] 에서 벗어나 자유를 되찾았다.
자유롭게 행동하지 못하도록 억지로 억누름.

2 우리 사회에는 사람들의 [무관심] 속에 살고 있는 이들이 많다.
관심이나 흥미가 없음.

3 그는 억울한 사람들의 목소리를 [대변] 하고 그들로부터 존경을 받았다.
대신하여 의견이나 태도를 나타냄. 또는 그런 일

애	지	제	결	위	형	실

4 사람은 [지위] 가 높아질수록 더 겸손해져야 한다.
사회적 신분에 따른 계급이나 위치

5 그들은 [형제애] 가 남달라 항상 서로를 먼저 챙겼다.
형제 사이의 사랑

6 그는 공부를 시작한 지 3년 만에 노력의 [결실] 을 맺었다.
일의 결과가 잘 맺어짐 또는 그런 성과

109

8장 우리말 지킴이

1 문장 호응

밑줄 친 말을 바르게 고쳐 써 보세요. 도움말▼ 사람이 아닌 동식물이나 사물을 높이는 표현은 우리말 규칙에 맞지 않는 잘못된 표현이에요.

1
이 옷은 다 팔리셨습니다.
➡ 팔렸습니다

2
손님, 영수증 받으실게요.
➡ 받으세요

3
고양이가 정말 귀여우시네요.
➡ 귀엽네요

4
이 엘리베이터는 고장이 나셨습니다.
➡ 났습니다

5
손님, 주문하신 오렌지 주스 나오셨습니다.
➡ 나왔습니다

112

2 합쳐진 말 가자미눈

낱말 카드를 왼쪽에서 하나, 오른쪽에서 하나 꺼내 빈칸에 알맞은 낱말을 만들어 써 보세요.

비빔	말
만화	
가자미	우리
세로	

밥	싸움
눈	선
책	말

1 그는 아침마다 비빔밥 을 만들어 먹는다.
고기나 나물에 양념을 넣어 비벼 먹는 밥

2 오빠는 만화책 을 보고 웃느라 정신이 없다.
만화를 그려 엮은 책

3 우리말 을 바르게 사용하려는 노력을 해야 한다.
우리나라 사람의 말

도움말▼ '좌우 방향으로 그은 줄'은 '가로선'이에요.

4 이 작품은 세로선 을 축으로 하여 대칭을 이루고 있다.
위에서 아래로 내려 그은 줄

5 동생은 심통이 났는지 누나를 가자미눈 으로 노려보았다.
화가 나서 옆으로 흘겨보는 눈을
가자미의 눈에 비유하여 이르는 말

도움말▼ '말싸움'은 '말다툼'으로도 쓸 수 있어요.

6 서영이와 재희는 말싸움 이 붙어 교실을 소란스럽게 했다.
말로 옳고 그름을 가리는 다툼

113

3 형태는 같은데 뜻이 다른 말 말다

밑줄 친 낱말의 뜻으로 알맞은 것을 찾아 기호를 써 보세요.

㉠ **말다¹** 넓적한 물건을 돌돌 감아 원통형으로 겹치게 하다.
㉡ **말다²** 밥이나 국수 따위를 물이나 국물에 넣어 풀다.
㉢ **말다³** 어떤 일이나 행동을 하지 않거나 그만두다.

1 내 걱정은 말고 너나 잘해라. ➡ ㉢

2 저를 믿고 그런 염려는 마세요. ➡ ㉢

3 할머니께서 국수를 말아 주셨다. ➡ ㉡

4 침낭을 말아 방 한쪽에 놓아두었다. ➡ ㉠

5 마당에 있는 멍석을 둘둘 말아 놓았다. ➡ ㉠
도움말▲ '멍석'은 '짚으로 만든 큰 깔개'예요.
곡식을 널어 말리거나 사람이 앉을 때 써요.

6 미역국에 밥을 말아 김치를 올려 먹었다. ➡ ㉡

7 잡다한 생각은 말고 지금 하는 일에 집중해라. ➡ ㉢

114

㉠ **바르다¹** 풀칠한 종이나 헝겊 따위를 다른 물건의 표면에 고루 붙이다.
㉡ **바르다²** 껍질을 벗기어 속에 있는 알맹이를 집어내다.
㉢ **바르다³** 겉으로 보기에 비뚤어지거나 굽은 데가 없다.

8 옛날에는 방문에 창호지를 발랐다. ➡ ㉠
도움말▲ '창호지'는 '주로 문을 바르는 데
쓰는 얇은 종이'예요.

9 의자에 바르게 앉는 습관을 길러야 한다. ➡ ㉢

10 아이들이 강당에 모여 줄을 바르게 섰다. ➡ ㉢

11 예쁜 색의 벽지를 바르니 방이 화사해졌다. ➡ ㉠

12 밤송이에서 밤을 발라 밤 조림을 만들었다. ➡ ㉡

13 나는 현관에 놓인 신발을 바르게 정리하였다. ➡ ㉢

14 씨를 바른 고추를 햇볕에 잘 말려 곱게 빻았다. ➡ ㉡

115

4 잘못 쓰기 쉬운 말 건네다

문장에 알맞은 낱말을 찾아 ○표 하세요.

1 나는 종종 (편이점 /(편의점))에서 간식을 사 먹는다.
하루 24시간 문을 열고 생활필수품 따위를 파는 가게

2 이 숙소는 ((반려동물)/ 발려동물)과 함께 이용할 수 있다.
사람이 정서적으로 의지하고자 가까이 두고 기르는 동물

3 (뒤자리 /(뒷자리))에 앉은 아이들이 시끄럽게 떠들고 있다.
뒤쪽에 있는 자리

4 세정이는 밝은 목소리로 나에게 인사를 ((건넸다)/ 건냈다).
남에게 말을 붙였다.

5 물건을 사고 나서 (거슬음돈 /(거스름돈))과 영수증을 받았다.
거슬러 주거나 받는 돈

> **도움말 ▼** '괜스레'는 '공연스레'로도 쓸 수 있어요.

6 나는 ((괜스레)/ 괜스래) 심통이 나서 동생에게 짜증을 부렸다.
까닭이나 실속이 없는 데가 있게

7 희선이는 자신을 놀리는 대영이를 향해 눈을 ((흘겼다)/ 훑겼다).
눈동자를 옆으로 굴리어 못마땅하게 노려보았다.

116

---

5 한자어 근(近)

한자 '近(근)'은 '가깝다'의 뜻을 가지고 있어요. 한자의 뜻을 알고 있으면 모르는 낱말이라도 그 의미를 짐작해 볼 수 있어요.

빈칸에 알맞은 낱말을 [보기]에서 찾아 써 보세요.

> **보기**
> 근시   근처   원근   접근   측근   최근   근사치

1 우리 삼촌은 최근 에 결혼을 하셨다.
바로 얼마 전

> **도움말 ▼** '가까이 있는 물체를 잘 볼 수 없는 시력'은 '원시'예요.

2 나는 근시 여서 안경을 쓰고 생활한다.
먼 데 있는 것을 선명하게 보지 못하는 시력

3 우리 집 근처 에는 은행나무가 많이 있다.
가까운 곳

4 이곳은 일반인의 접근 이 금지된 구역이다.
가까이 다가감.

5 민 회장이 이 사실을 측근 들에게만 알렸다.
곁에서 가까이 모시는 사람

> **도움말 ▼** '근사치'는 '근사값'이라고도 해요.

6 우리는 아쉬운 대로 정확한 값 대신 근사치 을 구했다.
본래 구하고자 하는 수의 값에 가까운 값

7 많은 사람들이 공연을 보기 위해 원근 에서 찾아왔다.
멀고 가까운 곳

117

---

6 바꿔 쓸 수 있는 말 마땅하다

밑줄 친 낱말과 바꿔 쓸 수 있는 낱말을 써 보세요.

1 지나친 스트레스는 건강에 좋지 않다. ⇨ 과 도 한
정도가 심한

> **도움말 ▲** '지나치다'는 '어떤 곳을 머무르거나 들르지 않고 지나가거나 지나오다.'라는 뜻도 있어요.

2 우리말은 우리 스스로가 보존해야 한다. ⇨ 지 켜 야
잘 보호하고 간수하여 남겨야

3 부모는 아이의 잘못된 행동을 고쳐 주어야 한다. ⇨ 그 릇 된
옳지 못하게 되거나 나쁘게 되는

4 밥을 적게 먹었더니 배고프다. ⇨ 시 장 하 다
배 속이 비어서 음식이 먹고 싶다.

5 엄마에게 용돈을 올려 달라고 요청했다. ⇨ 요 구 했 다
필요한 어떤 일이나 행동을 청했다.

6 잘못을 했으면 사과를 하는 것이 마땅하다. ⇨ 당 연 하 다
그렇게 하거나 되는 것이
이치로 보아 옳다.

7 내일부터 아침에 일찍 일어나기로 다짐했다. ⇨ 맹 세 했 다
마음을 굳게 먹고
뜻을 정했다.

118

---

7 움직임을 나타내는 말 토라지다

밑줄 친 낱말을 따라 쓰고, 그 뜻으로 알맞은 것을 찾아 번호를 써 보세요.

1 그녀는 도자기에 여러 가지 문양을 . (①)
① 글씨나 그림 따위를 팠다.
② 쓰러지거나 빠지지 않게 박아 세우거나 끼웠다.
> **도움말 ▲** '쓰러지거나 빠지지 아니하게 박아 세우거나 끼우다.'를 뜻하는 말은 '꽂다'예요.

2 브라질에서 이 커피는 향이 매우 좋다. (①)
① 다른 나라로부터 상품이나 기술 따위가 사들여진
② 사람이 생활하는 데 필요한 각종 물건이 만들어진

3 승희는  은지의 마음을 풀기 위해 노력했다. (②)
① 마음이 편하지 않고 조마조마한
② 마음에 들지 않고 뒤틀려서 싹 돌아선

4 선생님의 갑작스러운 질문에 나는 몹시  . (①)
① 놀라거나 다급하여 어찌할 바를 몰랐다.
② 어떤 자극을 받아 감정이 북받쳐 일어나게 되었다.

5 건강을 위해 기름진 음식의 섭취를  한다. (①)
① 자기의 감정이나 욕망을 스스로 억눌러야
② 사람이나 물건을 목적한 장소나 방향으로 이끌어야
> **도움말 ▲** '사람이나 물건을 목적한 장소나 방향으로 이끌다.'를 뜻하는 말은 '유도하다'예요.

6 우리 회사는 제품의 선호도를  있다. (②)
① 일 따위의 차례나 승부를 바꾸고
② 사물의 내용을 명확히 알기 위해 자세히 살펴보거나 찾아보고

119

8 쓰임을 바꾸는 말 -이

'-이'는 다른 말의 뒤에 붙어 꾸며 주는 말을 만드는 말이에요. '깊숙하다'의 '깊숙-'에 '-이'가 붙으면 '깊숙이'라는 꾸며 주는 말이 돼요.

물이 **깊숙하다.**
성질이나 상태를 나타내는 말

물 **깊숙이** 들어가다.
꾸며 주는 말

✎ 주어진 낱말을 문장에 알맞게 써 보세요.

❶ 수북하다 ⇨ 거리에 낙엽이 │수북이│ 쌓여 있다.
쌓이거나 담긴 물건 따위가 불룩하게 많이

❷ 깊숙하다 ⇨ 그는 겁도 없이 산 │깊숙이│ 들어갔다.
위에서 밑바닥까지, 또는 겉에서 속까지의 거리가 멀게

❸ 끔찍하다 ⇨ 그는 자신의 부모님을 │끔찍이│ 모셨다.
정성이나 성의가 몹시 대단하게

❹ 많다 ⇨ 현태는 │많이│ 아팠던지 살이 쏙 빠졌다.
수효나 분량, 정도 따위가 일정한 기준보다 넘게

❺ 높다 ⇨ 새장을 벗어난 새가 하늘 │높이│ 날아간다.
아래에서부터 위까지 벌어진 사이가 크게

❻ 자욱하다 ⇨ 호수에 안개가 │자욱이│ 낀 모습이 아름답다.
연기나 안개 따위가 잔뜩 끼어 흐릿하게

도움말 ▲ '높이'는 다른 말을 꾸며 주는 말로도 쓰이지만 사람이나 사물의 이름을 나타내는 말로도 쓰여요.
예 이 산은 높이가 1000미터나 된다.

120

9 올바른 발음 영향[영·향]

✎ 밑줄 친 낱말의 알맞은 발음을 찾아 ○표 하세요.

❶ 친구로부터 전화가 왔다. ⇨ [저놔] (전화)

❷ 그는 제주도가 고향이다. ⇨ (고향) [고양]

❸ 그들은 작년에 결혼을 했다. ⇨ [겨론] (결혼)

❹ 나는 잘못된 표현을 고쳐 썼다. ⇨ (표현) [표연]

❺ 나는 동생에게 인형을 선물했다. ⇨ [이녕] (인형)

❻ 사람은 환경의 영향을 많이 받는다. ⇨ [영·양] (영·향)

❼ 비가 와서 버스 번호가 잘 보이지 않는다. ⇨ [버노] (번호)

 더 알아두기
'ㅎ'이 둘째 음절 이하의 첫소리에 놓이면 'ㅎ'을 온전하게 발음해야 해요. 둘째 음절 이하의 'ㅎ'을 발음하지 않는 것은 올바른 발음이 아니에요.

121

10 (타교과 어휘) 사회

✎ 빈칸에 알맞은 낱말을 써서 문장을 완성해 보세요.

❶ 두 나라 사이에 평화 조약이 │체│결│ 되었다.
계약이나 조약 따위를 공식적으로 맺음.

❷ 신하들은 왕의 │퇴│위│를 결사코 반대하였다.
임금의 자리에서 물러남.

❸ 대통령은 그를 │특│사│로 아프리카에 파견하였다.
특별한 임무를 띠고 외국으로 보내지는 사람

❹ 우리는 마침내 적군의 │포│위│를 뚫고 반격에 나섰다.
주위를 에워쌈.

도움말 ▼ '세자'는 '임금의 자리를 이을 임금의 아들'이란 뜻으로 '왕세자'로도 쓸 수 있어요.

❺ 선왕이 돌아가시고 나서 세자가 왕으로 │즉│위│하였다.
임금이 될 사람이 임금의 자리에 오름.

❻ 우리는 일제의 │탄│압│ 속에서도 독립운동을 계속해 나갔다.
힘 따위로 억지로 눌러 꼼짝 못 하게 함.

❼ 그는 독립운동에 몸담아 삼 년의 │옥│고│를 치르고 나서야 풀려났다.
옥살이를 하는 고생

122

❽ 이번 │후│퇴│는 적이 함정에 빠지도록 계산된 것이다.
뒤로 물러남.

❾ 그는 결국 이웃 나라로 │망│명│을 떠나기로 결정했다.
정치, 사상 따위를 이유로 받는 괴롭힘을 피하기 위해 몰래 자기 나라를 떠나 다른 나라로 감.

❿ 전쟁 중에 무고한 시민들이 적군에게 │학│살│을 당했다.
몹시 모질고 잔인하게 마구 죽임.

⓫ 그 집단은 내부에 │분│열│이 생겨 두 집단으로 나뉘었다.
집단이나 단체, 사상 따위가 갈라져 나뉨.

⓬ 불법 시위를 │진│압│하기 위해 수많은 경찰들이 동원되었다.
강제로 억눌러 진정시킴.

도움말 ▼ '청산하다'는 '과거의 좋지 않았던 일들을 깨끗이 씻어 버리다.'라는 뜻이에요.

⓭ 대한 제국은 마침내 중국과의 │사│대│ 관계를 청산하였다.
약자가 강자를 섬김.

⓮ 그는 약자에 대해 │물│심│양│면│으로 지원을 아끼지 않았다.
물질적인 것과 정신적인 것의 두 방면

123

MEMO

MEMO

MEMO

MEMO

MEMO

MEMO

[숨마 어린이®]는

중고교 상위권 선호도 1위 브랜드 **숨마쿰라우데®**가 만든
초등학생들을 위한 혁신적인 **초등 브랜드**입니다!

초등국어 어휘왕 시리즈 (초3 ~ 초6 학기별 총 8권)

"초등국어 어휘왕"은
많은 교사와 학부모들이 적극 추천하는 교재입니다.

'초등국어 어휘왕'은 학교 수업과 병행하여 학습할 수 있다는 장점이 있습니다. 기본적인 문법 개념, 맞춤법, 띄어쓰기까지 모두 담고 있어, 교재를 한번 꼼꼼히 공부하고 나면 어휘력 향상에 많은 도움이 됩니다. 　　　　대명초 **정지원** 선생님

교과 어휘의 중요성은 거듭 강조해도 지나치지 않습니다. 교과서에 수록된 어휘들을 단원별로 잘 정리하여 재미있게 학습할 수 있도록 한 교재가 바로 '초등국어 어휘왕'입니다. 초등국어 어휘왕을 꾸준히 공부하면 학습의 기틀을 확실하게 마련할 수 있습니다. 　　　　수내초 **우정민** 선생님

학교 현장에는 교과서에 나온 어휘를 제대로 이해하지 못해 교과 학습에 어려움을 겪는 학생들이 많습니다. 학생들이 '초등국어 어휘왕'을 통해 단원별 주요 어휘들을 예습·복습하는 것만으로도 학교 수업을 이해하는 데 많은 도움이 될 것입니다. 　　　　세륜초 **김민하** 선생님

쉬운 설명과 예문으로 어휘의 기본 개념을 설명해 주니 아이가 쉽게 이해하네요. 역시 어휘 학습은 암기보다는 예문을 통해 공부하는 것이 효과적이라는 생각이 듭니다. 　　　　초등맘 블로거 **제이드림**님

'초등국어 독해왕 시리즈'로 학습을 마친 우리 둘째 아이는 글을 읽는 데 자신감이 생겼다고 말해요. '초등국어 어휘왕'으로 공부해서 어휘력에도 자신감을 갖게 되기를 기대해 봅니다. 　　　　초등맘 블로거 **오렌지자몽**님

'초등국어 어휘왕'은 국어 교과 단원과 연계되어 있어 교과서와 함께 학습하면 좋은 교재예요. '초등국어 어휘왕'으로 미리 예습을 하면 학교 수업을 더 잘 이해할 수 있겠어요. 　　　　초등맘 블로거 **마미브라운베어**님

어휘력은 어휘의 의미를 확인하고 실제 활용을 해 봐야 는다고 생각해요. '초등국어 어휘왕'은 교과서 어휘를 중심으로 우리가 생활에서 많이 활용하는 어휘들을 재미있는 문제 풀이를 통해 익힐 수 있어서 부담스럽지 않게 학습할 수 있는 교재랍니다. 　　　　초등맘 블로거 **소안맘**님

이룸이앤비로 통하는 **HOT LINE**

CALL
02) 424 - 2410

FAX
02) 424 - 5006

INTERNET
www.erumenb.com

E-MAIL
webmaster@erumenb.com

이룸이앤비의 특별한 중등 국어교재 시리즈

슈마 주니어® 중학국어 어휘력 시리즈

중학교 국어 실력을 완성시키는 **국어 어휘 기본서** (전3권)

- 중학국어 **어휘력 ❶**
- 중학국어 **어휘력 ❷**
- 중학국어 **어휘력 ❸**

슈마 주니어® 중학국어 비문학 독해 연습 시리즈

모든 공부의 기본! 글 읽기 능력을 향상시키는
국어 비문학 독해 기본서 (전3권)

- 중학국어 **비문학 독해 연습 ❶**
- 중학국어 **비문학 독해 연습 ❷**
- 중학국어 **비문학 독해 연습 ❸**

슈마 주니어® 중학국어 문법 연습 시리즈

중학국어 **주요 교과서 종합!**
중학생이 꼭 알아야 할 **필수 문법서** (전2권)

- 중학국어 **문법 연습 1** 기본
- 중학국어 **문법 연습 2** 심화

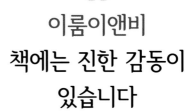